TYPO
EST DIRIGÉE PAR
GASTON MIRON
AVEC LA COLLABORATION DE

PIERRE GRAVELINE
ALAIN HORIC
JEAN ROYER

TYPO bénéficie du soutien du Conseil des Arts du Canada et de la Société de développement des entreprises culturelles du Québec pour son programme d'édition.

LE DOUBLE SUSPECT

MADELEINE MONETTE

Le Double suspect

Roman

TYPO

Éditions TYPO
Une division du groupe Ville-Marie Littérature
1010, rue de La Gauchetière Est, Montréal, Québec H2L 2N5
Tél.: (514) 523-1182 Téléc.: (514) 282-7530

Maquette de la couverture: Nicole Morin
En couverture: Alex Colville 1920-   , *Vers l'île du Prince-Édouard*,
émulsion à l'acrylique sur masonite, 1965. Musée des beaux-arts du
Canada, Ottawa. Photo: NGC/MBAC

Données de catalogage avant publication (Canada)
Monette, Madeleine, 1951-

    Le Double suspect

    Nouv. éd.
    (Typo: 117)
    Éd. originale: Quinze, c1980
    Publ. à l'origine dans la coll. Quinze/prose entière.

    ISBN 2-89295-130-5
    I. Titre.   II. Collection.

PS8576.O455D69 1996   C843'.54   C96-940905-2
PS9576.O455D69 1996
PQ3919.2.M66D69 1996

DISTRIBUTEURS EXCLUSIFS:

• Pour le Québec, le Canada
et les États-Unis:
LES MESSAGERIES ADP*
955, rue Amherst
Montréal, Québec H2L 3K4
Tél.: (514) 523-1182
Téléc.: (514) 939-0406
*Filiale de Sogides ltée

• Pour la Belgique et le Luxembourg:
PRESSES DE BELGIQUE S.A.
Boulevard de l'Europe, 117
B-1301 Wavre
Tél.: (10) 41-59-66 et (10) 41-78-50
Téléc.: (10) 41-20-24

• Pour la Suisse:
TRANSAT S.A.
Route des Jeunes, 4 Ter
C.P. 125, 1211 Genève 26
Tél.: (41-22) 342-77-40
Téléc.: (41-22) 343-46-46

• Pour la France et les autres pays:
INTER FORUM
Immeuble PARYSEINE
3, allée de la Seine, 94854 IVRY CEDEX
Tél.: (1) 49.59.11.89/91
Téléc.: (1) 49.59.11.96
Commandes: Tél.: (16) 38.32.71.00
Téléc.: (16) 38.32.71.28

Édition originale:
Madeleine Monette, *Le Double suspect*,
Montréal, «Les Quinze, éditeur, coll. «Quinze/prose entière», 1980.

Dépôt légal: 4ᵉ trimestre 1996
Bibliothèque nationale du Québec
Bibliothèque nationale du Canada

Le Double suspect

à b. l.

Je savoure le règne des formules, le renversement des origines, la désinvolture qui fait venir le texte antérieur du texte ultérieur.

R. Barthes

rome, le 8 juin

C'était à Rome, un matin du début du mois de juin. À deux pas seulement de la piazza Navona, nous prenions le café à la terrasse d'un bar où, les yeux encore gonflés de sommeil, des ouvriers s'arrêtaient le temps d'avaler en vitesse un espresso sirupeux. De la terrasse, nous ne pouvions voir que leurs silhouettes molles et courbées; mais tandis que le patron faisait glisser l'une après l'autre les tasses de porcelaine sur le comptoir, il était facile de deviner qu'ils suivaient machinalement des yeux le moindre de ses mouvements. Accoudés au bar en silence, ils semblaient hypnotisés par cet homme rougeaud et grassouillet, à la chevelure patinée, au visage en sueur malgré l'heure matinale.

C'était à l'heure où, après avoir ouvert toutes grandes les portes de leurs boutiques, les marchands s'immobilisent un instant sur le trottoir pour saluer, les poings sur les hanches, quelques rares voisins se rendant au travail d'un pas pressé. C'était à l'heure aussi où, la tête enroulée dans un fichu, des femmes rondes et fortes repoussent les volets de leurs appartements douillettement sombres, pour y laisser pénétrer d'un seul coup une lumière gris tendre, encore lourde d'humidité. Après cette brève apparition à une fenêtre, on les voit parfois sortir et répandre d'un geste vigoureux, circulaire, le contenu d'un seau sur les dalles poussiéreuses du trottoir. Bref, c'était à l'heure où la ville a déjà repris son souffle.

Manon sortait de la douche, et ses cheveux mouillés collaient à sa nuque, s'emmêlaient sur ses épaules un peu maigres, tandis que sa peau bronzée semblait élastique au soleil. Comme tous les jours depuis qu'elle était à Rome, elle était habillée d'un jean beige et d'un débardeur blanc, recouvert d'un ample chemisier bleu qu'elle portait sur le bout des épaules et qui retombait lâchement en arrière. Dans la trentaine, Manon faisait l'effet d'une jeune voyageuse décontractée, mais ses doigts nouaient et dénouaient nerveusement le long collier qui, enroulé d'abord autour de son cou, sinuait ensuite jusqu'à sa taille. Alors qu'elle cherchait à rattraper du bout du pied une de ses sandales qui avait glissé sous la table, elle parlait doucement, et le ton de sa voix donnait à notre conversation l'intimité du murmure. Ses lèvres bougeaient à peine, le reste de son visage étant figé dans un sourire étrange, suspendu, comme accroché là par erreur. Au coin de ses yeux, des pattes-d'oie traçaient dans sa peau hâlée de minuscules sillons blancs, des plis creux et délicats dont la vue attendrissait.

Je la connaissais depuis peu, mais je soupçonnais que quelque chose n'allait pas.

Manon était près de me quitter. Elle devait rejoindre à Munich un homme pour lequel elle prétendait éprouver des sentiments nouveaux et, de ce fait, aussi enlevants qu'inquiétants. Mais dans sa voix aucune exaltation, aucune excitation, rien qu'une aménité contrôlée, donnant à penser qu'elle consentait difficilement à prendre, une fois de plus, le risque de se lier avec quelqu'un.

Car elle n'en était ni à son premier amant ni à son premier engouement. En général elle était plutôt discrète, mais comme elle s'était confiée à moi par bribes, par échappées, je savais que plusieurs hommes avaient passé dans sa vie. À peine arrivés, ils étaient repartis, en refermant sans doute bien doucement la porte derrière eux. Manon, j'en étais sûre, devait inspirer pareille bienveillance.

Or, tandis qu'elle était affaissée sur sa petite chaise pliante, les jambes allongées sous la table, je déplorais de n'avoir pas eu droit à plus de confessions de sa part. Manon n'était pas du genre à s'épancher et, depuis que je la fréquentais, je n'avais rien appris sur elle que de très accessoire. Maintenant nous étions sur le point de nous séparer, et j'en étais triste. Je ne pouvais pas vraiment lui reprocher de m'avoir tenue à distance, car malgré ses réserves elle avait levé un coin du voile, me donnant un aperçu de ses amours passagères, nuits passées ici ou là, déceptions d'éternelle célibataire, mais j'avais la conviction que tout cela ne comptait pas pour elle et que c'était précisément pour cette raison qu'elle n'avait pas hésité à m'en parler.

Cette fois, cependant, Manon semblait s'être engagée dans une aventure différente.

Elle avait rencontré Hans sur une plage de Yougoslavie. Ils avaient passé deux semaines à se regarder dans les yeux, sous un de ces soleils constants de début d'été. Puis Hans était retourné en Allemagne et Manon était venue à Rome, fidèle au rendez-vous que nous nous étions donné.

Nous devions loger dans un hôtel de la via Veneto, mais nous avions prévu de nous retrouver à date et à heure fixes dans un petit restaurant que j'avais découvert lors de ma première visite à Rome. Après avoir constaté, à regret, que l'hôtel en question avait subi le contrecoup de l'inflation et n'était plus à la mesure de mon portefeuille, je m'étais installée à quelques rues de là, à la pension Walder, chez deux vieilles dames un peu séniles mais charmantes. Quant à Manon, elle n'avait pas plus tôt déposé ses bagages dans le grand hall qu'elle avait pris une chambre avec vue sur les platanes et les boutiques de la via Veneto. Nous n'habitions donc pas sous le même toit, mais cela n'avait guère d'importance puisque notre séjour à Rome devait être de courte durée. Quelques jours plus tard nous devions en effet prendre le train pour Naples et, de là, un bateau pour Palerme. Quoique nous ayons envisagé d'embarquer pour la côte africaine en quittant la Sicile, le reste de notre itinéraire était incertain.

Il avait bien fallu toutefois que je me rende à l'évidence: quelque chose avait bouleversé nos projets. Je n'étais pas encore au fait de ce qui s'était passé entre Manon et Hans, mais je savais que celle-là n'était pas dans son état normal en arrivant à Rome.

Ainsi, chaque fois que je tentais d'arrêter avec elle la date de notre départ pour Naples, elle devenait gauchement évasive. Et lorsque je la questionnais sur la Yougoslavie, elle me répondait avec un tel embarras que, si j'avais pu douter un seul instant de sa sincérité, j'en aurais déduit qu'elle mentait.

Par la suite, j'avais cru comprendre que ses remarques floues n'avaient eu pour but que de me dissimuler, aussi longtemps que possible, l'aventure qu'elle avait eue avec cet Allemand.

Comptant bien découvrir un jour ou l'autre les raisons de ses faux-fuyants, de ses réticences, j'avais néanmoins cessé de l'interroger. Nous marchions donc dans les rues de Rome du matin jusqu'au soir, comme si de rien n'était, puis nous nous séparions, brisées de fatigue. Moins d'une semaine s'était ainsi écoulée lorsque, à ma grande surprise, Manon m'avait fait part de son intention d'aller à Munich.

Alors, j'avais cru tout comprendre. Manon avait rencontré quelqu'un et, au moment de nos retrouvailles à Rome, elle hésitait entre gagner l'Allemagne et voyager avec moi. Craignant de me décevoir, et plus encore de nouer de nouveaux liens amoureux, elle avait pris tout son temps avant d'écarter l'une ou l'autre possibilités. Et tant qu'elle avait balancé, elle avait préféré ne rien me dire pour ne pas m'alarmer inutilement, quitte à me faire subir les effets parfois déplaisants de son indécision.

D'une certaine manière, j'avais été en concurrence avec Hans. Or, derrière lui, il y avait des dizaines d'aventures qui, toutes, s'étaient terminées exactement de la même façon. Manon, s'étant lassée en peu de temps, avait tiré son épingle du jeu sans rien brusquer. Pas de crise, pas de scène de rupture. Mais toujours une fin impromptue. Elle qui prétendait n'avoir aucune disposition pour les amours durables ne s'en plaignait pas. Hans avait dû rentrer à Munich sans qu'elle ait promis de le suivre plus tard là-bas, et une fois en Italie, elle s'était perdue dans ses tergiversations. Ignorant ce qui la préoccupait, je l'avais accompagnée dans les rues de Rome, une carte de la ville à la main, tour à tour inquiète et impatientée. Ensemble nous avions refait le trajet des parfaits touristes, mais j'aurais pu être son guide que la situation n'aurait pas été très différente. J'avais partagé ses promenades dans les jardins de la villa Borghèse, ses visites dans les musées, ses repas, en ayant l'impression désagréable et constante de l'escorter seulement, de la talonner en m'exposant misérablement à ses changements d'humeur, de lui être à la fois indifférente et nécessaire, comme si elle n'avait pu ni tolérer d'être seule ni livrer ses pensées. Finalement, usant de toute la délicatesse dont elle était capable et s'excusant de

ne pas m'avoir mise plus tôt dans le coup, elle m'avait
annoncé sa décision la veille même de son départ. Hans
l'avait emporté sur ses appréhensions et sur nos projets.
Manon allait partir pour Munich.

Et nous étions là, à prendre un dernier café à la terrasse d'un bar, remplies de cette affection que nous éprou-
vions l'une pour l'autre et qui tout à coup nous paraissait
gênante. Manon tâchait encore de rattraper du bout du
pied sa sandale qui se dérobait sous la table, et je ne pouvais me défendre de comparer notre situation à celle de
nouveaux amants qui ne trouvent à se dire au moment de
la séparation que des choses sans conséquence, étant
envahis de souvenirs trop frais qui les prennent à la gorge.
J'allais faire le voyage sans elle. Mais il n'y avait là tout
compte fait rien de tragique. N'avais-je pas l'habitude de
voyager seule?

Étant donc descendue à l'hôtel de la via Veneto,
Manon m'attendait le lendemain soir chez Alfredo, via
della Scrofa. Le nez dans un verre de rouge, un bras tendu
sur la table et une cigarette au bout des doigts, elle s'était
levée d'un bond en m'apercevant. Son visage, en l'espace
d'un instant, s'était éclairé. Venue me cueillir à la porte,
elle m'avait serrée contre elle, puis s'était éloignée d'un
pas et m'avait inspectée des pieds à la tête, en s'exclamant
que j'avais l'air plus en forme que jamais, qu'elle était
heureuse de me voir, et qu'il fallait fêter ça. Les yeux trop
brillants, les joues trop roses, elle avait une lourde haleine
de vin. Me prenant par l'épaule, elle m'avait entraînée
vers sa table, où elle avait immédiatement demandé un
deuxième verre. Pas un mot sur son voyage en Grèce, puis
en Yougoslavie, mais une avalanche de questions sur moi,
sur Montréal, sur les derniers romans dont j'avais fait la

critique, etc. Dans une robe noire que je ne lui avais jamais vue et qui moulait sa longue taille, elle était ivre et resplendissante, l'ivresse lui donnant à vrai dire une assurance qui l'embellissait. J'étais ravie d'être enfin à Rome et, surtout, de savoir que nous allions bientôt partir pour le sud.

Ce soir-là, nous avions quitté Alfredo dans un sérieux état d'ébriété. Pendant que nous marchions dans les rues désertes, le silence nous avait gagnées. Nous voyions déjà l'enseigne de l'hôtel lorsque j'avais appris à Manon que j'avais loué une chambre dans une pension, à quelque dix minutes à pied de la via Veneto. Je croyais la trouver déçue, elle m'avait semblé soulagée.

À présent, nous étions sur le point d'échanger des adieux. Après s'être emparée de l'addition, Manon a glissé dans ma main la clé de sa chambre d'hôtel, disant qu'elle avait déjà réglé la note pour toute une semaine et qu'elle tenait absolument à ce que j'emménage là-bas. Je n'avais qu'à m'y installer jusqu'à mon départ pour Naples; d'ailleurs le propriétaire de l'hôtel était prévenu de mon arrivée et m'attendait le soir même. Manon devait se douter que je ne refuserais pas, mais déconcertée par mon silence, elle a entrepris de me décrire sa chambre qui serait certainement plus confortable, a-t-elle fait valoir, que le réduit de bonne de la pension Walder. Estimant que nous gâchions de précieux instants, j'étais incapable de me concentrer sur un futile décor. Et lorsqu'elle s'est tue, il ne m'est resté que le nébuleux souvenir d'un endroit vieillot, avec des murs roses à rayures crème, une porte vitrée donnant sur un balcon en fer forgé, et un lustre de cuivre qui allait répandre, sur un lit de plume, une lumière pâle et chaude comme les nuits de Venise.

Le regard tendu, Manon se mordillait les lèvres.

«Alors, c'est oui?»

Visiblement et curieusement, elle était anxieuse. J'avais l'impression que, s'en voulant d'avoir ruiné nos plans, elle m'offrait une compensation pour se faire pardonner. Après avoir croisé ses yeux qui m'imploraient d'accepter, j'ai dit que c'était d'accord.

L'air satisfait, elle a ramené ses mains au creux de ses cuisses, s'est redressée sur sa chaise, puis a pris une dernière gorgée de café.

Avalant ses lèvres dans une expression de regret, elle a refermé solidement mes doigts sur la clé, avant de passer en bandoulière un petit sac de cuir rouge semblable à un cartable d'écolière. Une fois debout, prête à partir, elle m'a serrée si longuement dans ses bras que j'ai fini par sentir son souffle tiède dans mes cheveux.

Manon s'étant éloignée, je suis demeurée là avec un goût de café dans la bouche et une clé à la main.

Je ne devais plus jamais la revoir, ou plutôt je ne devais plus jamais la revoir vivante.

J'ai passé le reste de la journée à déambuler en aveugle. D'abord je me suis dirigée sans réfléchir vers la fontaine de Trevi, en faisant un large détour pour contourner le Panthéon.

Une humidité stagnante s'installait dans les rues, pour le bonheur des marchands de glaces qui vaguaient déjà sur les trottoirs et autour des places publiques. La nuit serait longue à venir, mais je n'avais pas envie d'autre chose que de marcher. En approchant de la fontaine, j'ai constaté avec soulagement que les touristes n'avaient pas encore envahi les lieux. Je me suis assise un moment au bord du bassin, en m'égarant dans mes souvenirs de *La Dolce Vita,* pour ne pas penser à Manon.

Bientôt, un groupe de visiteurs français est apparu au débouché d'une ruelle. Tous habillés de la même façon (chemisiers rouge clair pour les femmes et jaune vif pour les hommes), ils avaient l'air d'une bande de lycéens attardés. Alors, j'ai pris le chemin de la piazza di Spagna et de la villa Borghèse. Bizarrement angoissée, ne sachant où traîner mon ennui, je n'avais plus selon moi aucune raison d'être à Rome et n'avais qu'une idée en tête: prendre le train pour Naples le lendemain, à la première heure. Je revoyais Manon monter dans la Fiat rutilante, son sac d'écolière sur l'épaule, tourner le contact en regardant droit devant elle, puis pencher la tête pour me faire un dernier signe de la main avant de disparaître dans le flot de la circulation. Et je me la représentais sur l'autostrada del Sole, se déplaçant comme un point rouge sur la carte vert

et bleu de l'Italie. Et je m'imaginais cet homme dont elle
ne m'avait presque rien dit, lui attribuant petit à petit le
physique d'un Allemand que j'avais connu deux ans plus
tôt au Portugal et dont le nom soudain m'échappait, parce
que celui de Hans seul m'occupait l'esprit.

C'était en Algarve. Pendant trois jours je n'avais vu
que lui. Tous les matins lorsque je regagnais la plage, il
était là, assis dans le sable, les jambes croisées et le dos
arrondi, les yeux rivés sur une vieille édition de *Die Welt,*
l'unique journal allemand en vente dans les kiosques de
Lagos. Nous étions toujours les premiers arrivés, et s'il me
voyait descendre le long de la falaise abrupte qui était la
seule voie d'accès à cette anse isolée, il délaissait sa
lecture pour me suivre des yeux jusqu'à ce que je laisse
tomber mon sac de plage près de lui. Alors nous nous
étendions côte à côte, face à la mer, et nous parlions sans
prêter attention aux autres baigneurs qui, peu à peu,
venaient prendre place autour de nous. Vers midi sa
femme faisait son apparition, nous saluait d'un léger coup
de menton et allait s'allonger à l'ombre d'un rocher. Elle
nous laissait tout à la sous-conversation qui se développait
entre nous, plus ou moins à notre insu, à ce dialogue muet
que ne trahissait parfois que l'intensité d'un regard. Cela
avait duré trois jours, au bout desquels j'avais quitté
Lagos et cette petite plage de nudistes, où n'avait existé
pour moi que le corps blond de Hans.

Pendant que Manon roulait vers Munich, je pensais
donc à ces deux Allemands qui, se confondant, me suivaient de rue en rue, de café en café, comme si Manon
avait été amoureuse du même homme que moi, et je
m'avisais tantôt que ce Hans était peut-être une pure
invention, tantôt que Manon vivait peut-être ce que je

m'étais refusé. Mis à part ma jalousie déplacée, cette histoire me laissait perplexe, car Manon avait manqué de
conviction et de sentiment en parlant de Hans. Comment
douter pourtant de ce qu'elle m'avait raconté, puisqu'elle
était en route pour Munich? Et quels motifs aurait-elle eus
de me mentir? Or j'avais beau me raisonner, j'étais de plus
en plus incrédule. Quelque chose n'était pas clair, qui me
travaillait. En fait, j'avais l'intuition que Manon ne
m'avait pas tout dit.

Assise dans les jardins de la villa Borghèse, je me la
rappelais sur mon lit à la pension Walder. Dans une robe
à volants, retenue précairement aux épaules par deux
longs et minces cordons, elle m'entretenait compulsive-
ment d'elle-même, fumant cigarette sur cigarette, s'inter-
rompant à tout bout de champ pour expirer par bouffées
sèches et hâtives cette fumée bleue qui finirait par nous
envelopper. Rassurée par cette petite chose blanche qui
grillait au bout de ses doigts et qui suivait tous les mouvements de sa main, elle me disait combien elle était éprise
de Hans, et confuse de me laisser en plan. Mais chaque
fois qu'elle se prétendait amoureuse, elle se trouvait court,
sans rien à ajouter, comme sur le bord d'une falaise où elle
n'aurait pas osé faire un pas de plus en avant.

Haussant les épaules, penchant la tête, elle me regardait d'un air contrit. Elle n'y pouvait rien, s'excusait-elle.
C'était comme ça. Les amitiés de femmes ne faisaient plus
le poids dès que l'amour entrait en jeu. Non pas à cause de
cette prétendue rivalité qu'évoquaient les hommes
lorsqu'ils essayaient de nous persuader de l'inauthenticité
de nos amitiés, ni même à cause de ce sempiternel esprit
de dévouement qui devait faire des hommes notre seule
raison de vivre, mais parce que les femmes avaient besoin

d'être désirées pour se sentir exister, et que le désir ne pouvait venir d'une autre femme…

Pendant que Manon tâchait de se justifier, je pensais à toutes ces fois où je m'étais sentie trahie, lorsque des amies avaient déserté ma vie après être tombées amoureuses. Or c'était précisément de cela que Manon se disculpait, en affirmant que c'était toujours comme ça, qu'on n'y pouvait rien, que je ne devais surtout pas lui en garder rancune. Si Manon faisait l'effort de se blanchir, son cœur étrangement n'y était pas. Elle était consciente de me devoir une explication et elle s'appliquait à me la fournir, par pure considération à ce qu'il semblait. Un coude sur l'oreiller, sa robe épanouie sur les draps défaits de mon lit, elle me répétait infatigablement le même argument, tournant en rond comme si elle avait été attachée à un pieu.

Elle n'y pouvait rien, reprenait-elle, c'était comme ça. Évidemment elle se rendait compte que ses rapports avec les femmes étaient toujours les plus équilibrés, les plus harmonieux et les plus rassurants, mais la confiance ou la tendresse qu'elle y trouvait ne lui suffisaient jamais. Voilà. C'était comme ça.

Il était clair qu'elle ne voulait pas pousser plus loin, mais moi, je n'acceptais pas qu'elle s'arrête. Alors je l'avais considérée bien en face, pour lui faire comprendre que j'attendais.

N'y tenant plus à la fin, elle s'était levée et avait gagné la fenêtre où, sentant le poids de mon regard sur son dos, elle s'était retournée d'un bloc, les doigts d'une main frottant nerveusement la paume de l'autre.

«As-tu déjà remarqué, m'avait-elle demandé, que les femmes ne manifestent souvent de plaisir ou d'excitation qu'à parler des hommes qu'elles fréquentent, qu'elles ont

connus, qu'elles souhaiteraient revoir, qui les ont com-
blées ou déçues, qui ont promis de les rappeler ou qu'elles
n'osent pas relancer?… Même les unes auprès des autres,
elles ne trouvent à se définir que par leurs fantaisies amoureuses. Comme si la substance de leur vie était ailleurs.
Que leur amitié était accessoire. Tu diras que j'exagère,
mais je sais, moi, que la plupart du temps elles souffrent
de n'être qu'entre femmes, à moins que ce ne soit dans des
circonstances voulues et momentanées.»

Non. Je n'allais rien contester, rien réfuter. D'autant
que j'avais moi-même pris les confidences de Manon sur
ses aventures pour la première preuve de son amitié.

Manon avait quitté la fenêtre et s'était abattue sur le lit,
le visage contre l'oreiller. Relevant la tête, elle avait mar-
monné que ce qui était encore plus choquant, c'était que les
femmes n'avaient pas même besoin de désirer quelqu'un
pour vouloir le séduire, étaient parfois dans une telle indi-
gence qu'elles n'hésitaient pas à allumer de pauvres types
qui ne les intéressaient pas. Oh! bien sûr, les hommes agis-
saient de la même façon à leurs heures… Et ils n'en étaient
pas plus pardonnables… Si le désir était de la partie cependant, la situation se renversait. On devenait vulnérable, on
avait l'impression de ne rien contrôler, et au-dedans quelque
chose se mettait à souffrir. Cette souffrance-là, on l'aimait
assez, on la soignait, on l'entretenait même, soit parce
qu'elle nous rappelait la fragilité de nos désirs, soit parce
qu'elle nous rassurait sur l'intensité de nos émotions…

J'avais beau suivre le raisonnement de Manon,
j'ignorais pourquoi elle épiloguait ainsi sur cette question.

Elle s'était retournée vers moi, mais les yeux baissés,
elle fixait à présent le vernis rouge qui brillait sur ses
ongles.

«Tu vois, disait-elle, je suis convaincue, par exemple, que toi et moi avons des rapports de séduction. Mais quand il y a une attraction mutuelle entre deux femmes, on s'imagine que le désir n'y est pour rien. Et même si on concevait qu'il y est pour quelque chose, on aurait trop peur de l'admettre pour que ça change quoi que ce soit. Alors moi, je m'en vais rejoindre Hans, parce que je suis une femme et que moi, je dois me sentir désirée pour exister…»

Cette insistance sur le «moi», comme s'il y avait eu une différence entre nous… Pourtant, je soupçonnais que tout cela ne m'était adressé que par accident. N'était-ce pas d'abord elle qui avait besoin de l'entendre? Réticente, elle me regardait de temps à autre par en dessous, comme si elle avait voulu rattraper ses dernières paroles. Mais les plus courts silences lui pesant, elle reprenait fébrilement depuis le début et enfonçait le clou.

Assise près de la fenêtre, les jambes repliées sur l'un des accoudoirs du fauteuil, j'avais de plus en plus le sentiment qu'elle me servait une rengaine.

Devinant peut-être que je ne l'écoutais plus, Manon s'était redressée sur le lit et, la tête contre le mur, m'avait scrutée attentivement.

La situation n'avait selon moi rien de catastrophique, et je ne comprenais pas que Manon en fasse toute une affaire. Elle irait en Allemagne, moi en Sicile puis en Tunisie. Et on se reverrait plus tard à Montréal ou ailleurs. Pourquoi pas à Munich à mon retour d'Afrique? Elle me laissait en rade, mais elle devait bien voir que je n'en faisais pas une maladie.

Manon s'était allumé une autre cigarette. Comme si elle avait voulu me provoquer, les mâchoires serrées et le regard défiant, elle avait déclaré qu'elle n'avait plus rien à dire et qu'elle allait rejoindre Hans. Je n'y pouvais rien, elle non plus, ce n'était pas sa faute à elle si le désir d'une femme pour un homme effaçait tout le reste, c'est-à-dire tout ce qui n'était pas proprement ce désir-là…

Et elle avait fondu en larmes, en ramenant les jambes contre elle et en appuyant la tête sur les genoux.

Alors j'étais allée m'asseoir auprès d'elle, et j'avais mis timidement le bras autour de ses épaules. Au fond, je ne lui en voulais pas tant d'avoir annulé ses engagements avec moi que de ne pas avoir mis plus tôt cartes sur table. Quant au soupçon de ressentiment que j'avais contre Hans, il était parfaitement isolé, ne la touchait pas.

Tâchant de la consoler, je murmurais n'importe quoi. Elle s'en faisait trop. Son départ pour Munich ne remettait rien en question. Quoi qu'il arrive, je serais toujours là. Et puis, pour l'Afrique, ce n'était pas tellement grave. J'allais voyager seule, mais ce ne serait pas la première fois. Et peut-être n'était-ce que partie remise… etc.

Manon avait fini par se calmer. Elle pleurait tout doucement, le ton de ma voix l'ayant sans doute réconfortée plus que mon verbiage. Pour lui laisser le temps de se ressaisir, j'étais descendue au café du coin lui acheter des cigarettes.

Lorsque j'étais revenue, Manon était à genoux sur le lit et tenait, orienté vers la porte, l'objectif de son appareil photo.

«Tiens! C'est exactement comme je le disais! Quand tu regardes à travers la lentille, ce qui n'est pas dans l'angle de vision disparaît. Tu sais que ça continue d'exister, mais ton attention est dirigée sur un seul objet. Une seule personne. Le centre de l'image est au foyer, le reste nage dans un flou brumeux. L'image se rétrécit, bien entendu,

mais elle te donne la mesure exacte de ce que tu dési-
res…»

Le doigt sur le déclencheur, Manon braquait toujours
l'objectif sur moi, en me suivant dans mes déplacements.
Elle jouait à un nouveau jeu. J'avais beau m'efforcer
d'ignorer les déclics répétés, je réagissais comme toujours
devant un appareil photo. Je me sentais agressée, jugée.

Manon ne pouvait pas ne pas s'apercevoir de l'impatience qui me gagnait, et pourtant elle redoublait d'ardeur,
comme si elle avait eu un compte à régler avec moi. «Tu
vois? C'est comme ça le désir. Ça élimine tout le reste. À
chaque déclic, tu te fais mettre en boîte. Tu vois? Clic. Tu
vois?…» Même après avoir épuisé la pellicule elle avait
continué de faire comme si. «Clic… Tu vois? Clic…» Je
n'en pouvais plus. Alors je m'étais levée et, d'une voix
ferme, j'avais crié que ça suffisait. Manon s'était tue et
m'avait cherchée du regard, mais ses yeux roulaient de
droite à gauche comme des billes opaques. Agrippant ses
épaules, la secouant de toutes mes forces, j'avais répété
plus violemment encore que ça suffisait. Elle avait laissé
tomber l'appareil sur le lit, enroulé les bras autour de mes
jambes et collé la tête sur mon ventre. Elle pleurait.

La crise avait passé. Je nous revois encore, sur le bord
du lit, la tête de Manon penchée sur mon épaule.

Le lustre répandait une lumière blême sur les rideaux
passés et la peinture qui pelait: pour la première fois, la
laideur de cette pièce me sautait aux yeux.

Au début de la soirée, j'avais souhaité que Manon me
parle de Hans, mais je ne l'avais pas questionnée. À présent je le regrettais, parce que j'avais manqué l'occasion
de lui soutirer des aveux (au point où nous en étions, elle

ne parlerait plus) et parce que je devinais, mais trop tard, qu'elle avait eu en me provoquant le sourd espoir que je l'obligerais à être franche. Or j'avais tout fait pour éviter un réel affrontement et, ce faisant, je l'avais empêchée de se livrer.

Aujourd'hui, je me rends compte que cette dernière soirée m'a complètement échappé. Manon m'avait tenu un discours obscur, décalé par rapport à ses pensées. Un discours que j'avais pris au pied de la lettre, parce qu'il était parsemé d'allusions insaisissables. Du moins pour moi qui ne savais pas de quoi il retournait. Son voyage en Yougoslavie, sa rencontre avec Hans, sa décision de partir pour Munich, tout cela qui d'abord avait excité ma curiosité avait fini par m'inquiéter. Mais je n'avais pas su distinguer la maille sur laquelle il fallait tirer pour que les nœuds se dénouent.

L'essentiel s'était dérobé, et je dois reconnaître qu'il se dérobe encore.

Ayant relu tout ce que j'ai écrit jusqu'à ce jour, j'éprouve le même malaise que ce soir-là avec Manon. Toutefois, je commence à avoir une vague intuition de ce qui a pu se passer entre elle et moi.

Manon a mis tant d'énergie à se justifier, à faire valoir que ses relations avec les femmes ne comblaient pas sa solitude, à décrire ce manque à désirer qui la poussait à trahir ses amitiés les plus sûres, les plus aisées... que j'en arrive à supposer qu'elle s'est servie de son histoire avec Hans pour me parler de tout autre chose.

Manon avait plus ou moins repris possession d'elle-même. Une nouvelle cigarette entre les doigts, elle maniait distraitement la courroie de son appareil photo. Je la revois encore tourner soudain la tête pour me dire qu'elle allait peut-être faire une bêtise, mais qu'elle tenait à ce que je sache qu'elle m'aimait. La mine contrite et tirée, elle s'était excusée ensuite, en reconnaissant que l'idée de partir pour Munich l'angoissait plus qu'elle n'aurait voulu. Mais je ne devais surtout pas m'en faire, une bonne nuit de sommeil et tout irait mieux. Quant à ses foutues pudeurs, elles ne feraient pas long feu cette fois, non sûrement pas. Elle me le promettait. Pour l'instant il valait mieux tout oublier…

Oublier? Comment l'aurais-je pu?

Manon s'était enveloppée dans ses ambiguïtés, cependant le jour même de son départ je croirais entrevoir ce qu'elle n'avait pas osé me dire, ses allusions se mettant à me rouler dans la tête comme les images d'une machine à sous, pour finalement prendre place au bon endroit et dans le bon ordre.

Il était passé huit heures lorsque je suis entrée dans une trattoria, avec l'intention de manger un peu et de boire beaucoup. J'avais les pieds endoloris après une journée à marcher. Et ma tête surtout était fatiguée.

Le patron du restaurant était un petit homme dans la soixantaine, maigre et souriant, portant moustache et tablier blanc. Il s'appelait Sesto. Parce que j'avais commandé en italien sans doute, il m'a entourée d'attentions. Puis il m'a fait promettre de revenir le lendemain. Dans l'état où j'étais, j'aurais promis n'importe quoi à n'importe qui. Alors il a pris mon visage entre ses mains et m'a embrassée rapidement sur la bouche. Étonnée par cette audacieuse familiarité, je suis sortie de là comme sur un tapis de mousse. J'avais bu plus que ma tête ne pouvait le supporter.

Bien que résolue à prendre le train pour Naples au petit matin, j'ai décidé de passer ma dernière nuit à Rome dans la chambre de Manon sur la via Veneto. Ne devais-je pas de toute façon rapporter la clé à l'hôtel?

De retour à la pension Walder, j'ai donc préparé mes bagages, contente de quitter ces lieux où planait un triste souvenir de Manon. Après avoir réglé la note, j'ai pris un taxi jusqu'à la via Veneto. Devant l'hôtel, il y avait une dizaine de personnes rassemblées sur le trottoir, près d'une voiture de police. C'était moi qu'on attendait. Un homme était accoté au chambranle de la porte d'entrée, que j'identifiai par la suite comme étant l'hôtelier. Il s'épongeait le front avec un large mouchoir, et son visage montrait un profond désarroi.

Il y avait eu un accident sur l'autostrada del Sole. Une jeune étrangère était morte au volant d'une voiture de location, alors qu'elle roulait vers le nord. Elle n'avait aucun bagage, sauf un petit sac d'écolière qui renfermait des documents officiels tels que passeport, permis de conduire, fiche de location, et où on avait trouvé une carte de visite de l'hôtel de la via Veneto sur laquelle mon nom était griffonné, sous le mot «Walder», et une série de cahiers noirs numérotés sur les pages desquels s'entassait, comme dans un journal, une écriture fine et inégale, presque illisible.

Une fois inspectée de fond en comble la chambre de la via Veneto, on a consenti à ce que je l'occupe, et j'y suis encore.

Hier après-midi, j'ai escorté à l'aéroport la longue caisse dans laquelle le corps de Manon allait effectuer le voyage de retour, survolant l'océan dans une soute à bagages. Les membres de la famille avaient été prévenus, et si je les imaginais en habits de deuil, les épaules courbées de chagrin dans la salle des arrivées, au milieu d'une foule bruyante et indifférente, je ne m'attardais pas trop sur ce tableau désolant.

L'avion ayant décollé, j'ai eu du mal à me convaincre que je ne pouvais plus rien pour Manon. Puis, le front contre le vitrage ayant vue sur les pistes d'envol, j'ai senti mes muscles se relâcher et des larmes chaudes, rassurantes, me couler sur les joues.

Revenue à l'hôtel, je me suis jetée sur le lit et j'ai dormi plusieurs heures d'affilée, ne me réveillant en sur saut qu'au milieu de la nuit. Une fois de plus, j'avais été assaillie par la conviction que Manon avait tout planifié d'avance. Si Hans existait vraiment, n'avait-elle pas pu se servir de lui comme d'un prétexte ou d'un alibi? Partie sans valises, elle m'avait laissé sa chambre d'hôtel de façon que je puisse rester à Rome sans en faire les frais, et elle avait pris la peine non seulement de m'annoncer au propriétaire, mais aussi de noter mon nom et mon adresse sur une carte… J'étais sidérée. Manon avait tout prévu. Et moi, comme aveuglée par la lumière, je n'avais rien vu sur

le coup. Il y avait bien certains détails qui m'avaient rendue perplexe, mais j'avais eu vite fait, dans mon état de
choc, de leur donner une explication. Que Manon soit partie sans ses effets n'avait d'ailleurs étonné ni les policiers
ni l'hôtelier, puisqu'elle avait retenu sa chambre pour
quelques jours encore et prévenu de mon arrivée. Moins
simplement, j'avais cru pour ma part à un geste symboli-
que: ayant voulu rompre avec son passé, Manon avait tout
laissé derrière elle, voilà ce que je m'étais dit. Or maintenant j'inclinais à penser que, n'ayant eu l'intention d'aller
nulle part, elle n'avait tout bonnement pas pris ses bagages avec elle. Si seulement elle les avait emportés, je n'aurais pas été là, à me poser des questions et à me torturer…
Mais un suicide parfaitement déguisé n'aurait été un suicide pour personne d'autre qu'elle, et Manon avait probablement souhaité que j'entrevoie au moins ce qui s'était
passé.

Or, à supposer que mes soupçons soient fondés, que
viennent faire dans tout cela les cahiers noirs qu'on m'a
remis? Manon devait savoir qu'ils me reviendraient, tout
comme ses autres affaires. Et si elle n'avait pas voulu que
j'en prenne connaissance, elle aurait pu les détruire, s'en
débarrasser… Fallait-il donc qu'elle soit morte pour que
j'aie enfin droit à ses confidences? Avait-elle prévu cela
aussi?

Il y avait bien eu auparavant quelques moments privi-
légiés où toute distance avait semblé abolie, où j'avais eu
envie de prendre ses mains dans les miennes et de lui murmurer, pour la dérider, des paroles apaisantes comme
celles qu'on adresse parfois à un animal ou à un enfant.
Mais la pudeur, qui m'avait toujours retenue de le faire,
n'avait laissé s'installer d'elle à moi que des silences émus.

Je lui en voulais décidément de temps à autre de sa
réserve, mais notre relation n'en souffrait pas outre
mesure, car la confiance qu'elle me refusait, j'étais persuadée qu'elle ne l'accordait à nul autre. Manon était ce
qu'on appelle un être secret, et cela lui donnait encore plus
d'épaisseur à mes yeux. L'histoire de sa vie, on ne pouvait
la reconstituer qu'à partir d'aveux isolés, souvent involon-
taires, en consentant à de multiples détours et conjectures.
Parce qu'il fallait vouloir la recomposer, cette histoire,
malgré les blancs dont elle était semée, les zones d'ombre
où elle semblait prendre tout son intérêt. Manon dévoilait
rarement l'objet de ses préoccupations, n'étalait jamais
ses sentiments et ne fournissait jamais de justifications.
D'où mon malaise lorsqu'elle s'était entêtée à détailler les
motifs de son départ. Mais tandis qu'elle pataugeait dans
ses excuses, je ne me suis pas doutée un seul instant que,
dans son souci cuisant de me cacher ses réelles intentions,
elle s'appliquait à me les suggérer. Or voilà que la très
passive Manon s'était tuée, voilà que cette femme discrète
me donnait à lire son journal dans une série de cahiers où
elle avait dû consigner des fragments de pensée, faire le
récit d'événements plus ou moins heureux…

Ces cahiers noirs sont là, empilés sur la table. Je pourrais les faire parler à ma guise. Cependant ma délicatesse
l'emporte toujours sur ma curiosité. S'il m'arrive parfois
de les feuilleter, je me retiens en effet de violer leur intimité, de m'y absorber.

Mais peut-être était-ce là ce que voulait Manon? Je ne
saurais encore le dire.

Deux semaines se sont écoulées depuis la mort de Manon, et je n'ai pas quitté Rome ni l'hôtel de la via Veneto. Je n'y parviens pas. Ce matin, j'ai renoncé définitivement à Naples, à la Sicile et à l'Afrique du Nord. Je n'ai plus envie de jouer aux touristes. Il m'a fallu deux semaines pour me rendre à cette évidence.

Le propriétaire de l'hôtel, que j'appelle maintenant par son prénom, m'a prise en affection et me considère plus comme une pensionnaire que comme une cliente. Veuf depuis cinq ans, Franco vit seul dans ses appartements au rez-de-chaussée. Si son visage accuse la quarantaine avancée, son corps est aussi svelte que celui d'un homme de vingt ans. Sachant que je suis seule à Rome, il m'invite parfois à partager ses repas dans la salle à manger de l'hôtel, à la table qui lui est réservée et à laquelle il prenait autrefois ses repas avec sa femme. Un peu à l'écart, cette table est toujours plus abondamment garnie que les autres, mais elle est aussi plus triste.

Au début je croyais que Franco m'invitait par simple curiosité, pour me faire parler de Manon, des circonstances de son séjour à Rome, puis de son départ vers le nord de l'Italie (je n'ai mentionné ni Hans ni Munich à la police). Mais il a continué de solliciter ma compagnie même après s'être rendu compte qu'il ne tirerait rien de moi. Les employés de l'hôtel, qui se figurent assister à l'amorce d'une romance entre Franco et la *giovane straniera,* me font des sourires entendus. Mais si Franco a des intentions à mon égard, rien n'a encore transpiré, et je dois

avouer que pour l'instant je prends plaisir à l'écouter parler de son enfance, de sa famille, de ses employés, de tout
cela qui pour moi respire l'Italie.

Franco accepte que la mort de Manon soit un sujet
tabou entre nous; par contre il se tient au courant de toutes mes allées et venues. Parce que je passe plusieurs heures par jour dans ma chambre, il paraît avoir compris que,
depuis l'accident, je ne me résous plus à la quitter.

Incapable d'avaler mon petit-déjeuner, j'en étais à me
demander combien de temps encore mes ressources me
permettraient de rester là, lorsque Franco s'est offert à
m'aider en échange de quelques services. Moi qui parlais
français, anglais et italien, ne voudrais-je pas le remplacer
à la réception de l'hôtel trois ou quatre après-midi par
semaine? Mon salaire inclurait mes repas, et je pourrais
même être hébergée gratuitement si je consentais à démé-
nager au rez-de-chaussée. Ou bien Franco a du flair, ou
bien c'est un heureux hasard, mais la proposition ne pouvait mieux tomber. Toutefois, la perspective de changer de
chambre me serrant le cœur, je ne lui ai donné mon accord
que lorsqu'il m'a laissé celle de Manon à prix d'ami.

Aux anges, Franco a entamé la matinée en sifflotant
derrière le comptoir de la réception. Quant à moi, j'hésite
à me réjouir de ma nouvelle situation. Bien sûr que notre
entente me convient, mais ne vaudrait-il pas mieux que je
fuie Rome au plus tôt? D'abord pour me libérer de la fascination de la ville, ensuite pour échapper à la curiosité
maladive qui m'attache à Manon? Ces dernières semaines,
j'ai passé des journées entières à lire et à relire ses cahiers,
y mettant autant d'ardeur que s'ils avaient renfermé une
énigme vitale, à résoudre absolument. J'ai aussi employé
beaucoup de temps à fixer mes impressions dans un nou-

veau cahier, acheté à la Papelleria Americana le lendemain de la mort de Manon. Mais je n'ai encore rendu
compte que très approximativement de ce qui s'est passé
ici entre elle et moi… Il faudra que je reprenne tout cela
par le détail, depuis le début jusqu'à la mention des
cahiers numérotés, lorsque j'y verrai plus clair.

Fâcheusement, les cahiers de Manon sont encore plus
insatisfaisants que tout ce que j'ai pu écrire jusqu'à présent. Les notations y suivent un ordre chronologique, mais
certains fragments ne sont pas datés, et de longues périodes semblent avoir été passées sous silence. Les premières
entrées remontent à environ un an et portent sur des événements qui auraient eu lieu quelques semaines plus tôt.
En fait, Manon aurait commencé son journal peu de temps
après que son mari s'est tué dans un accident de moto;
puis elle serait revenue au fil des pages sur des incidents
vieux de cinq ou six ans. Son mari! J'ignorais tout du
mariage de Manon. En lisant ses cahiers, je m'irrite autant
de ce qu'ils taisent que de ce qu'ils décrivent avec zèle,
car dans un cas comme dans l'autre ils semblent frelater la
vérité.

J'ai rencontré Manon il y a quelques mois. Dès qu'elle
est apparue dans les bureaux de la rédaction, j'ai eu le sentiment que nous pourrions nous entendre, elle et moi.
Bientôt nous avons couru les cocktails auxquels j'étais
invitée en tant que chroniqueuse littéraire, assisté à des
concerts dont elle devait faire la critique pour le journal, vu
des pièces de théâtre et des films. Or le peu de temps qu'a
duré notre amitié n'a pas suffi à me révéler Manon. Dans
ses cahiers, je découvre une partie de sa vie qui m'était
inconnue et où évoluent des personnages inattendus. Paul,
par exemple. Je doute que Manon ait même jamais

prononcé son nom devant moi. Pourtant, tout porte à croire que sa mort est à l'origine de ces cahiers qui font travailler mon imagination sans relâche. M'étant découvert un côté balzacien, j'essaie en quelque sorte, à partir d'une chaussure ou d'un bijou, de reconstituer le costume tout entier. Plus je m'y applique, plus je risque d'assembler un costume qui n'irait à personne, surtout pas à Manon. Quand mon imagination semble m'entraîner trop loin, je la rappelle à l'ordre, en m'efforçant de m'en tenir à la lettre des cahiers. Toutefois, c'est justement parce qu'ils ne disent pas tout que j'ai tendance à inventer. Ainsi, je ne peux m'empêcher de voir un rapport entre la mort de Manon et celle de Paul, car il s'est tué comme elle alors qu'il roulait seul sur une autoroute, par un matin ensoleillé du mois de juin. En soi le parallèle n'explique rien. Mais il faut reconnaître qu'il est frappant. Ce que je cherche se situe donc tout vraisemblablement dans cet intervalle d'un an, mais peut-être aussi avant la mort de Paul, qui est pareillement suspecte. Le plus exaspérant, c'est que Manon n'en dévoile rien que de très équivoque, comme si elle avait résisté à en parler sans pouvoir se défendre d'y revenir. Chose inouïe, elle en était réduite elle aussi à formuler des hypothèses, parce qu'elle n'avait aucune certitude sur les circonstances ayant entouré le dérapage fatal de la moto.

Pendant que j'écris ces lignes, les cahiers de Manon sont près de moi sous le rayon de la lampe, comme autant d'objets opaques. J'en suis moi-même au tiers de ce cahier neuf qui bientôt les rejoindra.

Après mon troisième café matinal avec Franco, je suis remontée à ma chambre en me proposant de relire ces pages où Manon raconte une nuit passée avec un homme d'affaires d'une cinquantaine d'années. Je décèle là, dans les descriptions surtout de la tendresse appliquée qu'il a mise à lui faire l'amour, quelque chose d'affecté, qui détonne.

En refermant la porte derrière moi, j'ai eu envie de ressortir. La seule vue des cahiers m'angoissait. J'ai pris une douche, et l'eau tiède m'a détendue. Puis, au lieu de rester encore à lire dans ma chambre, je suis allée prévenir Franco que je m'absenterais jusqu'au soir. Non qu'il ait droit de regard sur moi, non, sûrement pas, mais je ne voulais pas qu'il m'attende pour les repas. L'air désolé, il a prétendu qu'il aurait du mal à se passer de moi. Mais il était surtout visiblement curieux de savoir comment j'allais occuper mon temps. L'autre jour, il m'a avoué que j'étais pour lui une énigme, un *mistero delizioso,* et cela me plaît assez. Je suis donc partie sans ajouter un mot de plus. En fait, cela me rassure de savoir même vaguement qu'il me désire, d'autant qu'il n'exige rien de moi. Et aussi longtemps qu'il restera sur la réserve, je suis persuadée non seulement qu'on vivra en bonne intelligence, mais qu'étant un rêveur il y trouvera aussi son compte.

Une fois dehors, dans la lumière saisissante, je me suis dirigée vers le quartier des grands magasins. J'étais en mal de bruits, de couleurs, d'anonymat, mais surtout j'avais besoin de me faire plaisir. M'étant soustraite aux cahiers noirs, j'étais prête pour la première fois depuis longtemps à effectuer un retour sur moi-même. Dans les rayons de prêt-à-porter, je trouvais à mon histoire des dernières semaines un air d'irréalité. Tentée par tout ce que je voyais, je regrettais seulement de ne pas avoir plus de billets dans mon sac. Il m'avait pris un goût effréné de consommation et, avec un portefeuille mieux rempli, j'aurais été la proie idéale des étalages.

En rentrant, je portais de nouvelles chaussures. Cet achat avait été une folie, mais pareilles cures sont rarement données. Sur mes talons fins, je me sentais devenir une autre, et cette autre me plaisait. J'en suivais la silhouette de vitrine en vitrine, anticipant l'effet que ces chaussures produiraient sur Franco (s'il les remarquait) et songeant qu'elles iraient parfaitement avec les robes de Manon. Au début je n'avais pas même eu le courage de toucher ses vêtements, rangés dans un placard séparé. Mais un soir où les traits de son visage s'estompaient et où je tâchais de toutes mes forces de me les rappeler, j'ai essayé ses pulls, ses jeans, ses robes… Nous étions de la même taille, elle et moi, et tout m'allait. Debout devant la glace, je n'avais qu'à regarder mon corps pour que sa figure me revienne en mémoire. Cette nuit-là, le sommeil m'a surprise dans un fauteuil, alors que je relisais mes notes de la journée dans une robe à pois qui allait particulièrement bien à Manon. Lorsque je me suis réveillée, très tôt le matin, la magie s'était dissipée. Les vêtements de Manon, entassés pêle-mêle sur le plancher, avaient perdu à mes yeux leur caractère inviolable. À présent ils ont rejoint les miens sur les cintres, et j'ai décidé de les porter sans faire le jeu de la sentimentalité.

Aujourd'hui j'ai acheté d'autres cahiers à la Papelleria Americana. Ils seraient identiques à ceux du journal, si leurs tranches n'en étaient pas rouges mais blanches. Je n'en suis pas aux deux tiers de celui-ci, mais il m'en fallait de nouveaux pour ce projet que j'ai formé.

Depuis que les cahiers de Manon sont en ma possession, ils m'apparaissent comme un brouillon, une suite de notes écrites au hasard des jours, des émotions, qui n'attendent que d'être récrites pour prendre une forme définitive. À les lire, je ressens une anxiété que je refoule et un enthousiasme que je refrène. J'ai mis du temps à le saisir, mais ce qui cause l'une et l'autre, c'est d'abord mon désir de transformer ces fragments en un texte achevé, ensuite mon impatience, comme une insatisfaction d'auteur, devant l'ouvrage défectueux ou bâclé. J'ai envie de reprendre le journal de Manon, d'en enchaîner les parties dans un ordre différent et d'en réparer les négligences, d'en combler les vides, d'en supprimer les redondances, les purs ornements, comme on le fait d'un premier manuscrit maladroit. M'y employant, j'en viendrai probablement à le trahir, mais à le trahir je lui ferai peut-être dire ce qu'il cherche à dissimuler. Il se peut que je ne parvienne aussi qu'à le faire dévier de sa trajectoire, mais je suis prête à courir ce risque. Le défi m'obsède, et d'ailleurs ma décision est prise. Comme plus rien ne m'intéresse hormis les cahiers de Manon, ou bien j'entreprends de les récrire, ou bien je me résigne à tourner en rond dans cette chambre d'hôtel jusqu'à la fin de mes

jours. J'ai sans doute commencé à les recomposer menta-
lement dès l'instant où j'ai hasardé de les lire, et je n'aurai plus maintenant qu'à en refaire pratiquement le parcours. Seule Manon aurait pu leur redonner la précision et
l'impromptu du souvenir, mais la mémoire n'a rien à voir
avec ce qui m'occupe ici, sauf pour la part d'imaginaire
qui lui est rattachée. Et s'il le faut, une mémoire, je saurai
bien m'en inventer une.

Ne me berçant pas d'illusions, je ne prétendrai ni à la
vérité ni à l'authenticité des faits. Ce qui m'importe, c'est
de m'assimiler l'écriture de Manon, tout en cernant la part
de moi-même qui paraît y être enfermée. Car les cahiers
noirs ont sournoisement laissé s'établir, entre elle et moi,
des rapports dont la complexité me déroute et m'exaspère,
parce qu'elle échappe à toute logique autre que subjective.

Manon étant disparue, je n'ai plus pour interlocuteur
que son journal. Et c'est avec lui que j'engagerai enfin ce
genre de conversation intime qu'elle faisait tout pour éviter.

Pourtant, c'est elle-même qui m'a préparé la voie
avant de mourir. En ne détruisant pas les cahiers, mais
aussi en me laissant cette chambre d'hôtel que j'ai trouvée
presque habitée encore et dans laquelle j'ai parfois
l'impression qu'elle va revenir, comme si elle n'était sortie que pour un instant, Manon avec son grand corps
mince, qui en entrant se laisserait tout de suite tomber
d'épuisement et de bonheur sur le lit.

Il est vrai qu'elle avait pris les cahiers avec elle. Mais
elle n'était pas sans savoir qu'ils me reviendraient, n'est-
ce pas? D'ailleurs, ne se pouvait-il pas qu'elle les ait
emportés par simple précaution, de crainte que sa tentative
de suicide n'échoue?... Elle n'avait pas dû prévoir à quel

point sa mort me toucherait. Comme une image anticipée de la mienne. Car je pourrais bien mourir de semblable façon, un matin d'été, au moment où le soleil commence à percer l'humidité en la dissipant vers le bleu du ciel.

Je n'en suis pas à vouloir ma propre mort, mais la sienne me fait rêver, continue de vibrer en moi comme une explosion au ralenti, qui n'en finit plus de se produire. En effet, Manon meurt encore pour moi chaque matin. Alors, ouvrant les cahiers noirs, je contemple son écriture qui s'étire finement sur chaque page, jusqu'à ce que la même peur ou la même agitation s'empare de moi.

C'est pour cette raison que j'ai acheté les cahiers à tranches rouges qui m'attendent là, au coin de la table, à la limite du cercle de lumière qui se referme sur moi, au fur et à mesure que la nuit s'installe.

Je suis restée plus de deux heures à fixer bêtement la première page d'un de ces cahiers neufs. Puis, sentant que je n'arriverais à rien, je me suis rabattue sur celui-ci qui commence à faire un curieux journal.

Je sais exactement ce qui ne va pas.

Je résiste à faire usage du «je». Il y a là un piège, je le sens. Mon travail risque de s'étendre sur plusieurs mois, pendant lesquels je devrai me substituer à Manon pour faire le compte rendu de la dernière année de sa vie. Et je crains que, même feinte, cette prise en charge de ses pensées intimes ne me soit trop douloureuse, ne me cause trop de confusion.

Une fois acceptées les règles de la simulation littéraire, ma situation ne sera pas plus affolante ni dangereuse cependant que celle d'un écrivain qui, sur le point d'entamer un récit, se demande s'il aura ou non recours à l'alibi de la fiction, s'il se mettra ou non en scène en se dédoublant, s'il consentira ou non à décaler son propre discours d'un cran pour se soumettre aux lois de la narration, avec tout ce que cela implique de fraudes et de détours, de glissements et de substitutions… Car si d'autres auteurs s'en sortent intacts, du moins en apparence, je ne vois pas pourquoi il en serait autrement pour moi. Après tout, rien n'a jamais empêché un écrivain de s'inspirer, pour la rédaction d'un roman, de la vie de personnes aimées ou connues…

Lorsque je me suis couchée hier soir, après avoir écrit ces dernières lignes à la hâte, je me croyais déterminée à me mettre à la tâche. Les cahiers à tranches rouges étaient là comme une mise en demeure, mais je me sentais un courage presque tranquille. J'ai quand même tardé à m'endormir, l'excitation m'ayant gagnée peu à peu, et aussi la conscience inquiète que cette nuit était mon dernier répit.

Mais la journée a passé, et je n'ai fait qu'inventer des prétextes pour fuir ma table de travail. Franco m'a du reste facilité les choses, en me demandant de le remplacer tout l'après-midi à la réception de l'hôtel.

Il y a de plus en plus de touristes qui, de partout, affluent vers Rome. Déjà ils envahissent les places, les musées, les restaurants, et juchée sur un tabouret derrière mon comptoir, je les vois défiler avec leurs appareils photo, leurs lunettes de soleil, leurs guides illustrés. Au travers de la porte à battants vitrés qui délimite mon champ de vision, je ne les aperçois que l'espace d'un instant, dans leurs complets couleur d'œuf ou leurs bermudas à carreaux, leurs robes légères et leurs chapeaux de paille, leurs jeans élimés de voyageurs sans le sou. Il n'y a pas si longtemps j'étais l'une d'entre eux. Maintenant tout est différent. Je me sens collée à Rome comme un mollusque à une vieille roche humide et familière.

Dans les moments creux, j'ai écrit à mon patron pour l'informer de la mort de Manon et le prévenir de mon intention de prolonger, indéfiniment, mon séjour à Rome; mais je ne lui ai pas donné mon adresse ni révélé mes motifs. Pourtant, j'aurais pu faire valoir n'importe quoi. Dire par exemple que Rome m'avait séduite par son arrogance baroque et sa pureté classique, par la qualité de sa lumière et la douceur de ses nuits… Avouer que j'éprouvais un profond apaisement à me mêler à ses foules, celles des rues et des marchés, des grands cafés, celles qui s'agitent à la tombée de la nuit sur les piazze et les squares… Or j'ai le sentiment que même cela ne regarde que moi. Et puis j'aurais bien voulu voir sa tête, si je lui avais expliqué que je n'existe plus que pour récrire le journal de Manon.

Non, je préfère ne rien dire plutôt que de m'exposer à des interprétations incontrôlables. D'ailleurs, une fois l'ouvrage terminé, ma préoccupation initiale n'y sera peut-être plus lisible, l'écriture pouvant m'éloigner ou me rapprocher de Manon et de moi-même.

Et si, comme devant un miroir déformant, moi seule pouvais alors faire la différence entre fiction et réalité? Et si je disais à mon retour que, Rome m'ayant inspirée, j'y suis restée pour écrire?

«C'était donc ça!

— Oui.

— Et c'est de la poésie? Un roman?

— Oui. Disons un roman.»

CAHIERS À TRANCHES ROUGES

1

Savoir qu'on n'écrit pas pour l'autre, savoir que ces choses que je vais écrire ne me feront jamais aimer de qui j'aime, savoir que l'écriture ne compense rien, ne sublime rien, qu'elle est précisément *là où tu n'es pas* — c'est le commencement de l'écriture.

R. BARTHES

Paul va mourir, du moins c'est ce que disent les médecins. Dans un jour, une semaine ou un mois, ils sont incapables de prévoir quand exactement. En attendant il est dans le coma, oui, en attendant. Parce que depuis l'accident je ne fais rien qu'attendre, attendre que tout soit fini.

Sa moto s'est écrasée sur un pilier de béton alors qu'il roulait seul sur l'autoroute des Laurentides, un matin ensoleillé du début du mois de juin. J'étais à des kilomètres de là, mais cet accident je le vois, ne parviens plus à le chasser de mon esprit.

D'abord, c'est une perspective à vol d'oiseau qui me remplit la vue, comme sur un grand écran. De cette hauteur, la moto, malgré sa vitesse sûrement vertigineuse, fait l'effet d'un point rouge se déplaçant à peine. Au moment où elle dévie de sa trajectoire pour aller heurter un pilier, les images se rapprochent. Les pièces de métal volent en éclats tandis que le corps de Paul s'élève dans les airs. Et cet instant est aussi interminable que si ce corps, défiant les lois de la gravité, ne devait plus retomber. Mais cette chute, je l'attends, les muscles et les nerfs raidis, comme lorsqu'on se prépare à entendre une explosion.

La commotion tardant à se produire, c'est finalement dans un silence d'eau profonde que le corps de Paul vient s'abattre sur l'asphalte

Deux semaines se sont écoulées depuis l'accident. Le soir je m'endors difficilement et, lorsque enfin je me suis assoupie, le moment revient inévitablement où je me réveille en sursaut, le cœur battant et les mains moites: le fil des images s'est déroulé de nouveau, et j'ai vu le corps de Paul retomber sur le sol, inanimé. Sa moto n'est plus qu'un enchevêtrement inextricable, son crâne est fracassé, ses os sont brisés, mais il respire encore. Et c'est cela qui est le plus terrible. Pas étonnant que les nuits m'effraient, et que les jours ne me laissent pas beaucoup plus de répit. Je ne suis pas en état de parler à quiconque et, ayant fait l'acquisition d'un répondeur, je ne prends même plus mes appels. Au début j'acceptais que des amis me rendent visite, mais ils manifestaient un tel malaise que leur présence me pesait. Dépassés eux aussi par les événements, ils aimeraient me réconforter, mais ils ne peuvent m'offrir que leurs sourires tristes, leurs haussements d'épaules gênés, leurs absurdes «Tout va s'arranger» et «Rien n'est encore perdu»… D'ailleurs il y a des choses que je craindrais de révéler dans un accès de dépit, de faiblesse ou d'insoutenable indifférence. Paul et moi avons su entretenir jusqu'à la fin l'image d'un couple heureux, et ce n'est pas maintenant que je vais désabuser les gens. Ça servirait à quoi?… Ça avancerait qui d'apprendre qu'au moment de l'accident ma relation avec lui était près de se dissoudre?… Non que je veuille protéger Paul, mais ce n'est pas à moi de dévoiler ce qu'il a caché à tout le monde et que je n'ai moi-même découvert que par hasard. Du reste ça n'a rien à voir avec l'accident, et ce qui s'est passé entre nous durant les derniers mois ne m'empêche pas de souffrir à la pensée que Paul va mourir. En fait, à la lumière des événements récents, mes réminiscences les plus tendres tantôt se font obsédantes, tantôt perdent toute réalité.

Paul et moi avons duré ensemble près de cinq ans. C'était un homme doux mais extravagant, doté d'une sensibilité presque trop aiguë, qui souvent le rendait fébrile ou vulnérable. Je le revois tituber le matin vers la salle de bains, le corps endormi et chancelant, puis revenir les hanches enveloppées dans une serviette éponge, la peau encore mouillée, s'étendre de tout son long sur moi, pardessus les couvertures. Et j'ai peur soudain de me retrouver seule, de ne plus pouvoir me coller à sa chaleur. Peur également qu'un autre homme prenne un jour sa place. La façon qu'il avait parfois de s'assoupir la tête sur mes reins, un bras autour d'une de mes cuisses, me manquera éternellement, à ce qu'il me semble. Comme aussi la façon qu'il avait, en pleine nuit, de me caresser très doucement, pour que je ne revienne pas tout à fait à la réalité et me laisse faire en tenant simplement sa tête sous les couvertures.

Ces pensées, qui me remuent encore, me rendent néanmoins amère parfois.

Car nos rapports avaient pris une mauvaise pente. Se détachant, Paul m'avait bientôt fait l'amour sans conviction, ceci lorsqu'il ne se couchait pas après moi sous prétexte d'être débordé de travail. Or je voyais bien, souffrant d'insomnie à son insu, que ses urgentes préparations de dossiers ou de procès ne lui demandaient jamais plus de temps que je n'en mettais moi-même à m'endormir... Plus tard, lorsqu'il avait pris l'habitude de rentrer au milieu de la nuit et qu'il avait nié insolemment ce qui devenait évident, savoir qu'il me fuyait, il n'avait plus leurré que lui.

Désemparée, j'avais passé de longues soirées à l'attendre, bondissant sur le téléphone dès la première sonnerie.

À quelques reprises, il avait même disparu pendant plusieurs jours. À son retour, non seulement il me contrariait à propos de tout et de rien, mais il me refusait la moindre explication. Lorsque j'osais protester, il me faisait sentir qu'il ne me devait rien. Ma présence le dérangeait, quoi que je dise et quoi que je fasse, elle le dérangeait… Il me reprochait de défaire l'ordre de ses tiroirs, de m'exercer au piano le samedi, d'avoir refermé ma vie sur lui et de l'empêcher d'improviser la sienne comme avant… Ainsi, il m'imputait selon moi ses insatisfactions, comme ses propres limites et insuffisances. Plus il me rendait la vie impossible, plus je le soupçonnais de vouloir que je lui impose une décision qu'il n'avait pas le courage de prendre. Paul souhaitait rompre, me disais-je. Et, naturellement, je ne l'en désirais que davantage. J'étais prête à comprendre qu'il ait besoin d'une aventure, qu'il soit en mal d'espace ou de temps pour lui-même, et n'espérais qu'une conversation franche, qu'il me déniait. Il faisait en sorte que je me sente coupable de ce qui nous arrivait, et si j'apprenais petit à petit à me défendre, cela n'allait pas tout seul.

Ayant mis ma confiance en cet homme pendant des années, je me persuadais que ce n'était qu'un moment pénible à passer, qu'une crise, une simple crise. D'ailleurs, il y avait encore des jours où nous nous retrouvions comme avant. Paul, me surprenant à la maison tôt le soir, redevenait l'homme facile et un peu fou que j'aimais. Alors, disposée à tout oublier, je me remettais à respirer. En ces rares occasions, il réussissait à me faire croire qu'il me désirait encore, mais j'estime à présent que ce n'était qu'un jeu, oh! très sérieux, où il mettait à l'épreuve ses sentiments et ses attirances. Tant que son sexe me cher-

chait, il m'était permis de présumer que cette situation ne
durerait pas, que tout rentrerait dans l'ordre. Après tout
Paul ne m'avait jamais déçue auparavant, et s'il traversait
une période difficile, je n'avais qu'à tenir bon. Voulant
l'aider, le soutenir, j'étais donc devenue une femme com-
préhensive et silencieuse, qui encaissait tout, qui était là
quand il en avait besoin. Et je crois même que j'en étais
fière, comme si cela avait été la preuve que j'étais plus
forte que lui.

Mais la signification réelle de ces éclaircies, où il faisait l'effort de se rapprocher de moi, allait bientôt se faire
jour.

Un soir, après avoir bu tout son soûl, Paul s'était affalé
à mes côtés sur le canapé. Plaquant ses lèvres sur les
miennes, il avait pressé avec une énergie désespérée son
sexe sur le mien. Il ne se contrôlait plus d'ardeur, mais il
n'y avait en lui aucun désir. Et cela le rendait furieux.
Furieux contre moi. J'avais beau me débattre et le repousser, lui crier de cesser, rien n'y faisait. Il s'obstinait sur moi
comme s'il avait voulu me traverser. Puis il s'était relevé et
m'avait considérée longuement, les mâchoires serrées.
Comme je ne bougeais pas, il s'était penché sur moi et
m'avait secouée violemment, en lançant que c'était fini,
qu'il voulait que je le laisse tranquille une fois pour toutes… L'instant d'après, il s'était enfermé dans son bureau.

À compter de cet incident je m'étais tenue pour aver-
tie. Mes yeux s'étaient dessillés: toutes les fois que Paul
s'était radouci, avait manifesté un reste de ferveur, il
n'avait donc cherché qu'à prendre le pouls de ses désirs?
Pourtant, jamais avant ce jour-là il n'avait été violent…

Il y avait bien eu, par la suite, quelques autres soirées
où j'aurais pu supposer qu'il était revenu à de meilleurs

sentiments, mais malgré ses approches vaguement séduc-trices, il restait distant.

Les chances pour qu'un retournement se produise étaient minces, Paul n'ayant plus d'égards pour moi et se souciant peu de me torturer, mais je n'avais pas le courage de le quitter. J'avais beau inventer des circonstances atté-nuantes, présumer qu'il avait rencontré une autre femme, son comportement restait inexplicable. Paul était nerveux, irritable, comme s'il s'en était pris aux autres pour ne pas avoir à s'en prendre à lui-même. J'avais parfois l'impres-sion qu'il n'avait pas la conscience claire, mais la vérité ne m'a jamais effleurée.

L'état des choses étant intenable, je désertais souvent la maison. Ainsi, un vendredi soir sur deux, j'allais rendre visite à des amis habitant à la campagne. Lorsque je ren-trais le dimanche, tout était toujours exactement dans le même ordre que quand j'étais partie. Rien n'avait été déplacé, pas même un cendrier, comme si Paul n'avait pas mis les pieds à l'appartement de tout le week-end. Si je lui demandais ce qu'il avait fait, où il était allé, il me répon-dait qu'il ne m'interrogeait pas sur mes allées et venues, et qu'il s'attendait à ce que je fasse de même.

Je savais que je devais m'éloigner, mais j'atermoyais. Tout menaçant d'exploser d'un moment à l'autre, je niais encore l'échec. Quant à Paul, il se cramponnait à nos habi-tudes les plus élémentaires, comme s'il avait voulu préser-ver notre image. Bien sûr, il lui était difficile de se confier. Mais s'il l'avait fait, la situation aurait été plus saine. Plus orageuse peut-être, mais décidément plus saine.

J'étais assise sur un banc de parc en face de l'hôpital. C'était un édifice blanc à plusieurs étages, en quart de cercle. Derrière chaque fenêtre il y avait un lit, blanc aussi, avec quelqu'un dedans. Il était un peu plus de quatre heures. Encore très haut dans le ciel, le soleil frappait la façade et la rendait éblouissante. Quelques fenêtres en particulier en absorbaient les rayons, comme des miroirs sur lesquels on se serait amusé, enfant, à faire rebondir la lumière.

J'étais là depuis longtemps, une heure peut-être, en fait depuis que les visites étaient terminées. Les mains à plat sur les cuisses, j'en sentais la chaleur moite au travers de mon pantalon. Regardant droit devant moi, j'étais comme figée ou hébétée, mais j'avais pleine conscience de ce qui m'arrivait. Ma tête s'alourdissant comme si elle avait été prête à se détacher, j'avais le sentiment de vivre quelque chose de dramatique. À la douleur que j'éprouvais se mêlait une complaisance qui seule la rendait supportable, parce qu'elle me permettait de me voir de l'extérieur.

Sans m'en rendre compte, je transformais l'instant présent en récit: «Elle est assise en face d'un hôpital où l'homme avec qui elle a vécu pendant cinq ans est sur le point de mourir. Les jambes croisées sous le siège, elle a retiré une de ses sandales qu'elle tente maintenant de rattraper de la pointe du pied. Dans sa tenue de jeune femme sans travail, blue jean et chemisier à demi boutonné sur un maillot de corps, elle fixe depuis longtemps une des fenêtres de l'édifice. Les autos passent devant elle, s'arrêtent au feu rouge, repartent. Il doit être près de cinq heures, car la circulation est plus dense et les gens se pressent. Les vieilles dames seules, les promeneurs de chiens et les flâneurs ont disparu, mais elle est restée sur le même banc…»

Me narrant ma propre histoire, je ne faisais pas que la dramatiser, je la déréalisais. La distance que je prenais par rapport à ma situation, celle que j'établissais entre moi-vivant et moi-racontant me désensibilisaient d'une part, rendaient ma douleur moins réelle d'autre part. Je n'étais plus la victime d'un horrible fait divers, mais la seule protagoniste d'un cataclysme sentimental, d'une catastrophe à l'échelle individuelle. Mon drame à moi était unique, sans précédent. Et j'en étais l'héroïne incontestée.

Au soleil tombant, je continuais donc de me rappeler comment je m'étais retrouvée encore «cet après-midi-là devant le corps de Paul, cette masse inerte et blanche aux jambes suspendues à des poulies, dont les pansements laissaient à peine entrevoir des lèvres exsangues, des paupières gonflées et jaunies…»

C'est que chaque jour depuis plus d'un mois, après avoir quitté l'hôpital, je ne me décide plus à rentrer chez moi. Alors je reviens sur ce banc et j'attends que s'engage le processus de distanciation. Que se fasse le vide. Il m'est impossible de me remettre à vivre comme si de rien n'était, tant que me reste une image vive de Paul sur son lit.

Si j'ai un tel mal à me ressaisir après avoir vu Paul, les choses ne me sont guère plus faciles au moment de partir pour l'hôpital. L'envie me prend de vomir, mais je sais que j'irai de toute façon. Lorsque j'étais enfant, j'avais ainsi la nausée dès que je devais agir contre mon gré. Pour l'hôpital, ce n'est pas exactement la même chose, puisqu'une fois dans la rue je tiens à y arriver le plus vite possible.

Les premiers jours, Paul était sous une tente à oxygène, et seul le personnel médical était autorisé à l'approcher. Maintenant je peux le toucher, replacer ses couvertures et m'asseoir sur son lit, l'entendre vivre cette horreur, son souffle mécanisé par un respirateur qui violemment et bruyamment lui soulève la poitrine.

Dans cet état il n'a plus besoin de personne. Mais moi, il m'avait écartée bien avant.

Même si Paul est inconscient, ma présence est tout ce que je peux encore lui offrir, et je tiens à venir jusqu'à la fin. Parfois, je suis tentée de le laisser là, au milieu de ses flacons, tubes et appareils, de tourner une bonne fois les talons, comme si cette tranche de ma vie n'avait été qu'un mirage. Parfois, ce n'est pas la tentation de l'abandonner qui me prend, mais celle de mettre fin à sa vie. Et qui donc, en me voyant entrer tous les jours dans cette chambre, se douterait que je souhaite avec impatience la mort de cet homme?

Assise près de son lit, à deux pas de la fenêtre qui donne sur le parc, je me laisse aller à mes rêveries éveillées, comme si elles pouvaient me servir d'antidotes. Souvent, je me découvre tant de mémoire que j'en ai le vertige. Alors j'essaie de me concentrer sur ce qui m'entoure: le vernis brillant des parquets, la lourdeur des rideaux, la rondeur des bouteilles, la raideur des draps. Mais les objets semblent n'avoir à m'offrir que leurs qualités abstraites, n'ont rien de la présence rassurante que je voudrais leur trouver. D'ailleurs, ne suis-je pas là comme une intruse? N'y a-t-il pas dans cet hôpital des centaines d'individus avec lesquels je n'ai rien à voir, dont le corps refuse de bien fonctionner et qui attendent avec hâte, frayeur ou indifférence, qui un diagnostic, qui un coup de bistouri, qui une potion magique, qui encore un voyage à la morgue ou une carte de sortie? Et s'il y en a qui, comme Paul, sont tout entiers livrés à leur inconscient, je ne peux

oublier que la peur passe ou s'installe dans les autres lits.
Cette peur-là, je la devine plus que je ne la reconnais, qui
tient de la terreur panique et se sait vaine. Penchés sur
eux-mêmes, les patients s'examinent. Parce que leur corps
s'est mis à parler, et qu'ils craignent de ne pas tout entendre. Le guettant, le questionnant, ils cherchent à le sur-
prendre, et le moindre signe qu'il émet leur semble aussi
précieux que les premiers mots d'un enfant… C'est la
course aux symptômes. Mais s'il commence à parler trop
fort ou à hurler, les médicaments sont là pour le faire taire.
Qu'il parle, mais discrètement. À voix basse. Parce que
dans les hôpitaux, il y a des gens malades, et qu'on ne doit
pas les importuner, surtout s'ils sont en train de mourir…

De temps à autre une infirmière apparaît à la porte,
jette un coup d'œil à l'intérieur et repart. J'imagine la tête
qu'elle ferait en s'apercevant que Paul ne respire plus, et
je me demande ce qu'elle ferait de moi, si elle préviendrait
la direction ou si elle essaierait de me couvrir, pour étouffer l'affaire. Il est étrange tout de même que je puisse for-
mer·de telles pensées, car j'aime encore Paul, même si
j'ignore ce que cela peut vouloir dire dans les circonstances. J'aurais toutes les raisons du monde d'éprouver du
ressentiment, mais bizarrement il n'en est rien. Ce qui
nous a séparés n'est, à mes yeux, qu'un drame où ni lui ni
moi n'avons eu le beau rôle. Et quand je me rappelle cet
instant où j'ai découvert par hasard ce que Paul m'avait
dissimulé pendant plusieurs mois, j'ai l'impression que
tout cela est arrivé à d'autres que nous, ou que nous
n'avons fait que suivre notre mauvaise étoile.

C'était un vendredi en début de soirée. J'avais décidé
de passer le week-end chez ces amis qui habitent une mai-

son de ferme. Au moment de mon départ, Paul n'était pas
encore rentré, et je lui ai laissé un mot sur la table de la
cuisine: je partais jusqu'au dimanche soir et je prenais la
voiture.

Déjà, Paul me cherchait querelle dès que nous étions
trop près l'un de l'autre. Pour m'exposer le moins possible
à ses assauts, je quittais la maison chaque fois que j'en
avais l'occasion. Il en semblait ravi. Nous ne partagions
plus la même chambre depuis quelques semaines, Paul
s'étant installé dans une petite pièce à l'arrière de la maison, où il dormait sur un canapé. Il prétendait être là «chez
lui», et me défendait d'y mettre les pieds. Peu après qu'il
eut ainsi décidé de faire chambre à part, j'avais commencé
à me chercher secrètement un appartement. Si je cachais
mes intentions à Paul, c'était parce que je ne pouvais plus
prévoir ses réactions. Une fois l'appartement trouvé, il
serait bien assez tôt pour le mettre au fait, me disais-je.

Après avoir fait des courses, j'ai donc pris la route. Il
devait être environ neuf heures. Je roulais sans hâte, heureuse d'être seule, de m'échapper.

J'aime conduire et, ce soir-là, j'aurais roulé longtemps, toute la nuit même. À quelque cinquante kilomètres de la ville cependant, la voiture est tombée en
panne. J'étais pour ainsi dire en plein champ, sur l'autoroute des Cantons-de-l'Est, il faisait nuit, et je craignais de
ne pouvoir trouver un mécanicien à une heure aussi tar-
dive. Mais au bout d'un moment une voiture s'est arrêtée,
et un homme est venu à ma rescousse. Il connaissait bien
la région, a-t-il affirmé, et il était enchanté de pouvoir
aider une «jeune femme en détresse». Il ne croyait pas si
bien dire, car en détresse je l'étais, quoique pour de tout
autres raisons.

La voiture a été remorquée. Après une inspection rapide, le garagiste a conclu que le problème était mineur, mais que les réparations devaient être remises au lendemain, parce qu'elles nécessitaient des pièces de rechange. Ayant abandonné la voiture à regret, j'ai pris le premier bus pour Montréal.

En arrivant à la maison cette nuit-là, je savais que Paul y était, car il y avait de la lumière aux fenêtres. J'anticipais un accueil plutôt froid, mais je ne pouvais prévoir ce qui m'attendait.

J'ai pris des précautions de voleur pour ne pas faire de bruit, en me disant que si Paul était dans sa pièce au fond du couloir, j'avais peut-être des chances de me rendre à mon lit sans qu'il s'en rende compte. M'étant approchée de ma chambre sur la pointe des pieds, j'ai découvert que la veilleuse y était allumée. Puis dans la demi-clarté, j'ai vu distinctement deux corps nus allongés sur les draps, les jambes emmêlées, la tête de l'un enfouie au creux de l'épaule de l'autre. Paul tenait dans ses bras un homme dont le visage m'était dérobé. Ils ne m'avaient pas entendue rentrer, et ils dormaient toujours.

Je suis restée un instant sur le seuil, ayant peine à croire ce que je voyais. J'étais paralysée. Comme fascinée. Puis, le cœur battant et les jambes tremblantes, je me suis écartée pour m'appuyer au mur du couloir. Le sol se dérobait sous moi. La vie me quittait. À vrai dire, je ne me souviens plus que de cette douleur, oui, la même, qui me déchirait l'estomac et me martelait le front. Soudain, je me suis avisée qu'il me fallait partir au plus vite, avant que l'un ou l'autre se réveille. M'éclipser, je n'avais que cela en tête, cependant j'en étais aussi incapable que dans ces rêves où nos jambes refusent de courir. Lorsque dans la chambre l'un d'eux a bougé, je suis sortie de ma torpeur.

Je me suis retrouvée dans la rue, en pleine nuit, sans savoir où aller. Bien qu'étourdie, je me forçais à marcher parce que je ne pouvais quand même pas attendre, comme ça devant la maison, que le jour se lève. Il n'était pas question que je cherche refuge chez des amis à pareille heure. Du reste, je ne me sentais pas le courage de fournir des explications: personne n'était au courant des difficultés que nous avions, Paul et moi, et à la lumière des nouveaux faits toute curiosité m'aurait blessée.

Sous le choc j'avais cru m'écrouler, mais à force de marcher je me suis calmée. J'étais étonnée d'être si peu affectée par ma découverte (j'imaginais peut-être que j'aurais dû mourir sur le coup), et je me demandais pourquoi je n'éprouvais ni rancœur, ni dégoût, ni jalousie. En fait, j'étais déjà suffisamment détachée de Paul pour ne pas me sentir moquée, menacée. J'avais bien perçu, dans cette scène clandestine, quelque chose de doux et de tendre qui, m'étant refusé depuis longtemps, avait suscité en moi une sorte d'angoisse d'abandon. Mais pour le reste je ne m'estimais pas concernée. Non, j'étais trop déroutée pour cela. Bien sûr que je souffrais. Toutefois ma réaction aurait sans doute été plus violente si j'avais surpris Paul en compagnie d'une autre femme. Après tout il ne m'avait pas remplacée, mais avait cherché et trouvé ce qu'aucune autre n'aurait pu lui donner.

Comment il en était arrivé là, je n'en avais pas la moindre idée… La situation me paraissait invraisemblable, comme si toute logique avait été impuissante à l'expliquer: j'avais vécu cinq ans de ma vie avec un homme qui m'avait laissée pour un autre homme, qu'ajouter de plus?

Depuis, j'ai quand même démêlé certaines choses. Ainsi, j'imagine que Paul a dû réprimer longtemps ses attirances homosexuelles, s'en tourmenter terriblement, s'en défendre avec moi. Je conçois aussi que ses tendances latentes aient pu me séduire à mon insu. Même si j'ai du mal à l'admettre.

Peu avant le lever du soleil, me trouvant à proximité du terminus Voyageur, je suis allée y dormir. En me réveillant, je me suis vue au milieu d'une foule rassurante. Il était tôt mais, petites valises en main, les gens se précipitaient déjà hors de la ville pour les quelques heures qu'allait durer le week-end, le visage souriant ou impatient, en tout cas heureux.

Après avoir avalé un café et une brioche, je suis montée dans le premier bus traversant le village où je devais reprendre ma voiture. Les événements de la nuit m'avaient laissée confuse, mais je crois me rappeler que je me sentais soulagée. J'avais percé à jour ce que Paul n'avait pas osé m'avouer pendant des mois et je m'en trouvais mieux. Toutefois, j'étais amère, parce que Paul n'avait pas eu le courage de me faire face et s'était peut-être même servi de moi pour camoufler sa vie parallèle, les apparences étant sauves tant que nous vivions ensemble.

Tout cela est si loin maintenant, j'ai du mal à exhumer mes émotions du moment, pour en rendre un compte fidèle. Du temps a passé, et ma vision des choses a changé, assez peut-être pour que ma mémoire en soit affectée et mon souvenir altéré. L'effet de choc s'étant résorbé il y a longtemps, je m'étais même habituée à l'idée que Paul était épris d'un homme, lorsque sa moto a quitté la route.

Souvent dans cette chambre d'hôpital, je me dis d'ailleurs que ce corps pansé, dont la blancheur se confond avec celle des draps, n'est ni celui de l'homme que j'ai aimé, ni celui de l'homme que j'ai surpris cette nuit-là. Mon passé s'est compartimenté, et je ne vois plus Paul comme une seule personne.

Cela aurait fait cinq semaines ce samedi-là. En montant l'escalier extérieur qui conduit à mon appartement, j'entendais le téléphone sonner. La voisine du deuxième prenait l'air sur le balcon et, lorsque je l'ai saluée en passant, elle m'a dit que le téléphone s'était excité toute la matinée. Ayant fini de grimper les marches quatre à quatre, je me suis ruée sur la porte en cherchant fébrilement mes clés dans mon sac. Puis sans prendre la peine de refermer derrière moi, je me suis lancée sur le récepteur. Alors j'ai entendu une voix d'homme, posée mais embarrassée, me dire que j'allais devoir être courageuse.

Paul était mort ce matin-là, à sept heures trente précises.

Il y a un mois de cela.

La veille j'étais assise en face de l'hôpital comme chaque jour après l'heure des visites, lorsque j'ai vu quelqu'un de familier traverser la rue. Le feu étant passé au rouge, il s'est mis à courir dans ma direction, et j'ai reconnu Michel. Je n'avais pas eu de ses nouvelles depuis longtemps, mais nous avions été amants environ un an avant que je rencontre Paul.

Je sortais souvent seule à cette époque, et il m'avait abordée lors d'une réception offerte en l'honneur d'un romancier de ma connaissance. Ce soir-là, j'avais d'abord lié conversation avec un journaliste décontracté et volubile, dont les cheveux noirs balayaient les épaules. Il avait une tête qui me plaisait, et nous avions parlé jusqu'à ce que le groupe dont nous faisions partie ait décidé d'aller terminer la soirée chez l'auteur. Les invités ayant commencé de se disperser, Michel s'était approché pour me demander si j'avais une voiture et si je ne le prendrais pas avec moi. Comme mon ami journaliste s'était éclipsé, j'avais accepté. Nous roulions depuis peu lorsque Michel avait mentionné, négligemment, que l'homme avec qui je m'étais entretenue plus tôt était marié, qu'il avait une enfant de six ans et que sa femme était la grande blonde, à la robe jaune et noir, qui était passée près de nous à plusieurs reprises.

Une fois la fête déplacée, le journaliste avait continué de me faire des avances en se cuitant, sans se soucier de la présence de sa femme. Il me prenait par la taille, me caressait la joue, essayait de m'attirer vers lui d'un air boudeur. Je ne lui résistais qu'à demi, étant moi-même un peu grise. Sans trop de conviction, je tâchais de le raisonner en lui faisant remarquer que la situation était délicate et qu'il valait mieux s'en tenir à un échange amical. Lui prétendait ne plus être heureux avec sa femme, avoir avec elle une relation plus fraternelle qu'amoureuse, assister jour après jour à la faillite de son mariage et avoir envie de passer la nuit avec moi. De toute façon, plaidait-il, ce ne serait pas là sa première incartade…

J'aime qu'on soit franc, mais je me sentais déjà moins concernée. L'écoutant en souriant, j'étais sympathique à sa cause, sans plus. Il savait comme moi qu'il était en train de me faire le coup de la séduction (chapitre: maris malheureux), et malgré notre réelle attirance l'un envers l'autre nous commencions à entrevoir l'issue de cette histoire.

Quand j'avais aperçu sa femme qui nous observait de loin, j'avais compris à son regard que rien de tout cela n'était un jeu pour elle. Alors je m'étais ressaisie et j'avais pris congé.

Si je ne voulais blesser personne, je ne voulais pas non plus me retrouver seule. Mon manteau sur le bras, j'étais allée prévenir Michel de mon départ, ajoutant que je pouvais toujours l'attendre dans la voiture. La proposition n'était pas des plus claires, mais je n'avais pas l'habitude de faire les premiers pas et, appréhendant un refus, je m'étais abritée derrière une ambiguïté.

Michel, à qui je n'avais pas adressé la parole de toute la soirée et qui m'avait vue avec le journaliste, n'avait aucune raison de me suivre. Assis au piano, il avait cessé de jouer, étonné mais pas trop, mais sûrement moins que moi. Puis il avait souri et m'avait dit de partir, qu'il me rejoindrait.

Cette première nuit là ne devait pas être la dernière. Michel me plaisait et n'attendait de moi rien de plus que ce que j'attendais de lui. Lorsqu'il m'avait avoué n'avoir que vingt ans, j'avais cru qu'il plaisantait. Mais il était surprenant à d'autres égards encore. De lui à moi les différences sexuelles s'estompaient, se fondaient dans une commune sensualité ou se déplaçaient dans un jeu de miroirs. De plus, Michel semblait toujours savoir ce qui me ferait vibrer davantage, et jamais il ne paraissait soucieux de sa virilité ni conforté par ma féminité. En d'autres mots ce n'étaient pas deux sexes, mais deux corps qui se rencontraient. Aussi pressé de mettre la main entre mes jambes qu'ailleurs sur mon corps, il rendait chaque bout de ma peau extrêmement excitable. Nous devenions l'envers l'un de l'autre et, faisant l'amour avec lui, j'avais l'impression tant de me perdre ou de m'abandonner que de me retrouver.

L'âge de Michel n'expliquait certes pas sa lascivité singulière. Les stéréotypes masculins, tout bonnement, ne semblaient pas l'avoir affecté de la même façon que les autres.

Victime de mes propres préjugés, je me disais qu'il agissait plus comme une femme, affranchie, que comme un homme, inhibé ou non. Je sais que ces comparaisons sont injustes, mais à l'époque les simplifications de ce genre ne me gênaient pas, avaient même leur utilité. Le plus inouï, c'était qu'entre nous il n'y avait jamais trace des tensions de la séduction. Déjà, la manière dont je l'avais accosté n'avait rien des mises en scène complaisantes auxquelles on se prête souvent dans de telles situations: je n'avais rien calculé ni manigancé, n'avais pas fait non plus tout un théâtre.

Si je ne suis pas tombée amoureuse de Michel, je crois pouvoir dire que je l'aimais. Nous nous voyions souvent, bien qu'irrégulièrement, et lorsqu'il téléphonait avec l'intention de venir dormir chez moi, je ne refusais jamais. Il savait que je voyais d'autres hommes et je savais qu'il voyait d'autres femmes, mais ni lui ni moi ne souhaitions qu'il en soit autrement. Nous prenions même plaisir à notre liaison intermittente, où nous n'arrêtions rien d'avance et cultivions nos distances.

Comme si l'intensité physique de nos contacts les avait justifiés à elle seule, nous ne parlions pas beaucoup. Au bout de quelques mois, il avait donc encore pour moi l'attrait de l'inconnu. J'avais quand même appris certaines choses à son sujet, qui n'étaient probablement pas sans rapport avec la qualité toute spéciale de nos liens.

Un soir que nous parlions de ces amis communs chez qui nous avions fait connaissance, j'avais demandé à

Michel si cela ne l'embarrassait pas de se trouver en présence d'homosexuels. Antoine et Charles habitaient ensemble depuis longtemps, et je m'étais attachée à eux aussi aisément que rapidement, en hésitant de temps en temps si je n'étais pas attirée par l'un ou par l'autre. Mordants mais non provocateurs, d'une générosité quasi compulsive, exhibitionnistes pour la seule raison qu'ils avaient le sens du spectacle, ils menaient une vie rangée et sans histoire, formant le couple le plus stable de mon entourage. Toutefois Antoine, lorsqu'il avait bu, se faisait cajoleur avec hommes et femmes indifféremment. Personne dans leur petit cercle d'amis ne le prenant alors au sérieux, cela n'allait jamais très loin. Du reste Antoine était fidèle, et Charles gardait l'œil ouvert.

Or, quelques heures plus tôt, Michel et moi les avions rencontrés dans un bar. Antoine, qui aimait bien Michel, s'était mis dans la tête de le lutiner, en lui chuchotant des riens. Charles avait bientôt levé les yeux au ciel et lâché un sonore «Ça y est, Antoine *rides again*». Michel ayant tourné son attention vers moi, la scène avait pris fin.

Cet incident banal et prévisible avait été vite oublié, mais j'étais quand même curieuse de savoir ce que Michel en avait pensé.

Bah! cela ne l'avait pas dérangé le moins du monde, avait-il déclaré sans balancer. Il estimait Antoine et Charles sans réserve, les comprenant peut-être même un peu mieux que moi, puisqu'à dix-sept ans il avait habité avec un artiste duquel il avait été, sinon très amoureux, du moins très épris. Oh! cette liaison n'avait eu qu'un temps. Et après cet homme, pour qui sa fascination s'était dissipée peu à peu, il n'y en avait pas eu d'autres. Seules les femmes avaient à présent le pouvoir de le bouleverser, avait-il continué en souriant complaisamment. Puis, sur un ton plus sérieux, il avait conclu que cet amant lui avait beaucoup appris sur lui-même et, aussi, sur ce que pouvaient être ses relations avec les femmes. J'avais bien essayé de le faire parler davantage, mais lorsqu'il avait affirmé que je savais tout ce qu'il était intéressant de savoir, je n'avais pas insisté.

Peu de temps après Michel partait pour l'Amérique latine. Et je rencontrais Paul.

À son retour, nos rapports avaient donc été très différents. Michel me paraissait toujours aussi désirable, et il s'en doutait mais se tenait à l'écart, ce dont je lui étais reconnaissante. Par ailleurs, j'avais beau l'imaginer avec de nouvelles amantes ou me voir dans les bras de Paul, je gardais un troublant souvenir de lui.

Et c'était cet «homme qui aimait les femmes», comme je me plaisais autrefois à penser à lui, que je voyais traverser la rue en courant vers moi. Dans une chemise blanche au col ouvert et aux poignets roulés, à moitié sortie d'un pantalon de toile noire, il avait une mine et un teint de vacances, même si l'été ne faisait que commencer. Il avait vieilli, mais l'âge lui était flatteur.

Il a saisi ma main pour que je me lève, puis il m'a prise dans ses bras. Comme toujours il s'accommodait de sa vie, avait l'air assez content de lui, mais il s'est vite rendu compte que pour moi les choses ne tournaient pas rond. Sa présence, plutôt que de m'égayer, me portait à m'attendrir sur mon sort et me rendait plus vulnérable. Sentant l'agréable pesanteur de sa main sur ma nuque, j'avais envie de pleurer, cette fois devant témoin. Mais je

ne voulais pas m'expliquer, seulement me montrer malheureuse, pour que Michel me câline et me berce.

Il ne savait pas comment réagir, mais déjà je le sentais compatissant. Il y avait plus d'un mois que j'étais
obligée chaque jour de faire face au corps insensible de
Paul, ni vivant ni mort, plus d'un mois que j'étais harce-
lée par ces affreuses images où je le voyais s'élever dans
les airs et s'abattre sur le pavé, flasque et désarticulé, plus
d'un mois que je ressassais dans ma mémoire les crises de
Paul, ses insultes, ses sautes d'humeur. Et tout ce temps-
là je m'étais repliée sur moi-même, pour ne pas m'exposer aux curiosités de quiconque, comme dans un accès de
paranoïa. Maintenant Michel était là, qui ne me demande-
rait rien, pour qui je n'aurais rien à éclaircir et qui saurait
me prendre. Alors quand il s'est offert à rester un peu avec
moi, je lui ai fait signe que oui.

Sur le banc, j'ai calé ma tête au creux de son épaule,
et il a plongé une main dans mes cheveux, rien de plus,
mais j'ai quand même été étonnée de sentir contre moi le
corps d'un autre, aussi retournée peut-être que lorsqu'on
embrasse quelqu'un pour la première fois.

Je me suis remise, puis Michel m'a proposé d'aller
prendre un verre. Derrière nous, le soleil s'enfonçait déjà
dans le feuillage des arbres, mais la nuit s'annonçait
douce. Pendant que nous marchions, Michel s'est enquis
si Paul et moi étions toujours ensemble. J'ai répondu non,
et nous en sommes restés là.

Au sortir du bar, j'ai paniqué à la pensée que Michel
puisse avoir d'autres projets pour la fin de la soirée: je ne
voulais pas qu'il me quitte. Ma tristesse des premiers instants s'était dissipée en me laissant dans un état indolent,

et je n'avais le goût de rien, sauf de passer encore quelques heures avec lui. Michel me réconfortait, me donnait l'impression d'être de nouveau en contact avec quelque chose de chaud et de vivant. Pas une seule fois ce soir-là je n'ai songé que Paul et lui avaient une singulière expérience en commun: celui-ci ayant vécu son aventure homosexuelle d'une façon tellement différente de celui-là, la comparaison m'avait échappé. Pour Michel ç'avait été une situation passagère, alors que pour Paul tout semblait devoir s'arrêter là. À l'époque Michel avait peut-être été tourmenté ou confus, mais j'avais de bonnes raisons de croire que l'issue s'était imposée d'elle-même, sans lui causer de grandes tensions. Paul avait développé pour sa part une personnalité trouble, et il paraissait avoir succombé à ses aspirations contradictoires. Ne discernant plus ce qu'il voulait ni qui il était, il avait traîné sa conscience malheureuse jusqu'à son lit d'hôpital, où elle s'était endormie avec lui.

À peine nous étions-nous engagés dans la rue que Michel m'a demandé si j'accepterais de terminer la soirée avec lui. Personne ne l'attendait, à mon grand soulagement, et il ne semblait pas pressé lui non plus de se retrouver seul. Il avait faim, moi pas tellement, mais nous sommes quand même allés souper chez lui. Comme il n'avait, au moment où nous nous étions fréquentés, aucun ustensile de cuisine dans son appartement, c'était toujours moi qui m'étais chargée des repas, et Michel disait qu'il me devait bien une invitation ou deux. J'aurais acquiescé à n'importe quoi du moment qu'il restait près de moi, et nous avons pris un taxi.

Jusque-là j'avais vécu dans un état frisant la débâcle, mais avec Michel j'arrivais presque à me sentir bien.

Pendant qu'il préparait une omelette et une salade, j'ai fait le tour de son logement, rassurée à la vue d'objets qui n'avaient pour moi aucune histoire. J'étais en terrain neutre. Des photos de voyage étaient épinglées sur les murs, mais les pièces étaient vides, le mobilier se réduisant à une table et des chaises, un lit et une étagère, quelques tapis et coussins. Au bout de ce long appartement dont les pièces étaient distribuées de chaque côté d'un corridor, il y avait toutefois un atelier où régnait un fouillis indescriptible de cartons à dessins, pinceaux, toiles, livres, revues, etc. Dans une autre pièce, la plus spacieuse et probablement la plus ensoleillée, se trouvait un piano, juste un piano. Michel avait fait tourner un vieux disque de Bob Dylan, et tandis qu'il s'affairait à la cuisine, je l'entendais fredonner.

J'avais l'impression de sortir d'un état d'hibernation, mais je ne savais si je devais m'en réjouir, tout cela n'étant manifestement pour moi qu'un intermède.

Ni pendant le repas ni après Michel ne s'est informé de Paul. Sans être au courant des faits, il voyait toutefois que je n'étais pas dans mon état habituel, que je m'accrochais à lui avec l'entêtement de la mélancolie, et il pressentait que Paul y était pour quelque chose, oui, cela Michel le savait.

Puis était venu le moment de partir. N'en ayant pas plus envie que de rester dormir, j'aurais souhaité que la nuit s'arrête ou que ce soit déjà le matin. Si cela ne devait être qu'un répit, je voulais qu'il dure le plus longtemps possible. L'heure continuant d'avancer, Michel a proposé de me garder: quelque chose n'allait pas, c'était flagrant, et je n'avais qu'à prendre son lit; lui coucherait sur les coussins du salon après avoir travaillé un peu; je l'inquiétais terriblement; et il serait heureux de me faire à déjeuner le lendemain. À court de volonté et d'énergie, j'ai accepté. L'instant suivant, je me glissais sous les couvertures.

Michel s'était retiré dans son atelier, et je ne percevais plus parfois que le bruit d'un papier qu'il froissait ou d'une chaise qu'il déplaçait.

Redécouvrant les sentiments que l'on éprouve, enfant, quand on dort dans une maison inconnue, j'ai mis du temps à m'abandonner. Une fois mes yeux habitués à l'obscurité, j'ai fait le tour des objets qui m'entouraient, une chemise suspendue à une poignée de porte, un pantalon jeté sur une chaise, un vieux plafonnier de verre bombé, encerclé de moulures de plâtre, autant de formes qui en surgissant du noir m'étaient étrangères. Michel apparemment ne laissait pas de travailler, et je l'imaginais courbé sur sa table à dessin, dans son atelier comme dans une oasis de lumière.

Cette image me réconfortant, je me suis finalement assoupie. Peu de temps a dû s'écouler cependant avant que je me réveille épouvantée, affolée. Comme toutes les nuits, le même film s'était mis à tourner au ralenti, et le corps de Paul avait été projeté dans les airs pour revenir se briser sur l'asphalte. En m'entendant crier, car je crois bien avoir crié, Michel est accouru.

Je me sentais trembler et pleurer, sans savoir si je dormais encore ou pas. Michel était sûrement là depuis un bon moment, qui me serrait la tête contre sa poitrine, mais je le voyais sans le voir comme si mon rêve ne m'avait pas quittée.

Ayant repris mes sens, je me suis rendu compte d'abord que je n'étais pas chez moi, ensuite que Michel était là qui m'embrassait les cheveux. En sentant la chaleur de son torse contre ma joue, j'ai fondu en larmes, puis je lui ai révélé entre deux sanglots que le même cauchemar me poursuivait, de nuit en nuit, depuis plusieurs semaines. Alors il s'est allongé à mes côtés et il a entrepris de m'apaiser, avec une patience affectueuse. Mon attention tout entière concentrée sur le feutré de sa voix, j'ai fini par me calmer. Somnolente, je m'abandonnais à ses caresses. Sa compassion était tout ce dont j'avais besoin, et je me suis rapprochée, avide de la tiédeur de ce corps qui respirait, qui vibrait, qui était là et qui durait. Je ne m'étais pas plus tôt collée contre lui qu'il s'est tu. Il me tenait étroitement, et petit à petit je me laissais gagner par le sommeil. À demi consciente, j'éprouvais la pression de son corps sur le mien, l'insistance caressante de ses mains. J'étais incapable de réagir, surtout de le repousser. Pour une fois l'obscurité avait quelque chose de sécurisant, de délicieusement palpable et mouvant. Michel m'a fait l'amour doucement, lentement, et je me suis endormie.

Au matin, je me suis réveillée seule. Michel m'avait laissé un mot sur la table de chevet: il était allé acheter des croissants et du lait; il ne tarderait pas à revenir; entretemps je pouvais prendre un bain ou attendre qu'il me serve le café au lit; il m'embrassait; Michel.

En le quittant quelques heures plus tard, je tâchais de ne pas penser à cette chambre d'hôpital d'où le reste de ma vie me paraissait tellement absurde. Ma nuit avec Michel m'ayant réconciliée avec le monde, c'était maintenant l'image de Paul dans son lit qui se trouvait frappée d'irréalité.

Quand même, j'étais tentée de me sentir coupable de l'avoir trompé. Il avait cessé de m'aimer bien avant son accident, et je ne lui devais rien. Mais j'avais l'impression d'avoir manqué à mes anciens sentiments à son égard, comme une veuve ayant balayé le souvenir de son mari. Je ne savais pas, alors, que cette comparaison n'en était pas une.

Le soleil était chaud, un brouillard d'humidité flottait au-dessus de la ville, qui en amortissait les couleurs et les bruits. Le temps m'étant agréable, j'ai décidé de rentrer à pied pour retarder autant que possible l'heure où je me retrouverais seule dans mon appartement. Les grandes artères étaient étrangement immobiles, comme accablées par cette chaleur d'étuve. Sur les trottoirs déserts, je pensais à la période de ma vie où je me plaisais à la vue des effets de Paul, qui m'offraient leur apparence lisse et pleine et familière. Lorsqu'il s'absentait quelques jours, rien ne me semblait plus vrai ni plus rassurant qu'une chaussure égarée sous une table, une cravate accrochée à un clou. Tout avait bien changé depuis.

En marchant, je n'ai bientôt eu qu'une idée en tête: téléphoner à Michel pour pouvoir garder, même chez moi où la présence de Paul m'était toujours aussi perceptible, le sentiment qu'il était à mes côtés.

Dans l'escalier extérieur conduisant à mon appartement, j'entendais le téléphone sonner à travers la fenêtre grande ouverte du salon. Le répondeur n'était pas branché, et la sonnerie n'arrêtait pas. Croyant que c'était Michel, je me suis mise à grimper les marches quatre à quatre. Lorsque la voisine du second palier m'a dit que le téléphone n'avait pas dérougi de toute la matinée, j'ai été terrifiée… À peine avais-je décroché qu'une voix inconnue m'annonçait la mort de Paul. On essayait de me joindre depuis le matin.

Michel m'avait fait l'amour comme il m'aurait offert un calmant, mais l'effet avait été de courte durée. Paul était mort pendant que je dormais avec Michel… Sans m'en rendre compte, j'ai laissé tomber le combiné à mes pieds. On m'attendait à l'hôpital pour signer des papiers, et je croyais que le courage allait me manquer. Alors j'ai appelé Michel, mais au moment où il répondait, j'ai raccroché. Le téléphone s'étant remis à sonner, je l'ai ignoré de peur que ce ne soit la mère de Paul. Ou un oncle, ou une tante…

Le silence s'est rétabli un moment, puis la fureur a repris de plus belle. J'étais effarée, ne savais plus que faire, n'avais pas même le bon esprit de débrancher l'appareil. Ayant attrapé mon sac, je suis partie. Au coin de la rue je suis montée dans un taxi, et dix minutes plus tard je me suis retrouvée devant l'édifice blanc. J'y faisais ma dernière visite.

En face de l'hôpital, assise sur un banc toujours le même, je regardais avec des yeux de chien égaré les gens qui défilaient devant moi. J'avais le même chemisier bleu, le même maillot de corps, les mêmes sandales que le jour précédent. Quant au soleil, il avait fini par briller avec la même clarté. Rien n'avait changé. Et cela m'effrayait, m'indignait.

Pendant un court instant on m'a laissée voir Paul. Je pleurais tout haut, les bras ballants, lorsqu'on m'a prise par la taille pour m'éloigner. On m'a gavée de tranquillisants, et j'ai atterri de nouveau sur ce banc. La tête trépidante mais nébuleuse, aussi lointaine que si elle avait été coupée de mon corps, j'en voulais aux infirmiers. Ils auraient quand même pu me laisser traverser ma crise… Ces gens-là ne supportent pas les larmes ni les cris, qui déclenchent en eux un seul réflexe: anesthésier, neutraliser, faire taire. Les sursauts émotifs, ils n'acceptent pas, c'est simple. Comme s'il leur fallait entretenir l'apparence de l'ordre et de la sérénité.

Étourdie par les mouvements incessants des passants, j'imaginais qu'on allait dégager Paul de ses pansements, le laver peut-être et le vêtir, le rendre «présentable». Car ses parents avaient insisté pour que le corps soit exposé. D'abord je m'y étais opposée mais, la volonté émoussée par les médicaments, j'avais cédé devant leur désarroi entêté. À présent, rien que d'y penser me serrait le cœur, me le tournait.

Un garçon d'une dizaine d'années qui passait devant moi s'est arrêté pile. Interdit au spectacle d'une adulte pleurant sur un trottoir grouillant de monde, il m'a dévisagée sans gêne, puis il a repris son chemin. Mais il n'a pu s'empêcher de se retourner et, comme je le regardais moi aussi, il s'est mis à courir.

C'est à ce moment que j'ai été terrifiée à l'idée de ce qui m'attendait. Le salon funéraire, le service à l'église et l'enterrement, tout le vernis de la mort institutionnalisée. Je savais que je pouvais compter sur les parents de Paul pour faire les arrangements nécessaires, mais aussi qu'à cause d'eux les funérailles deviendraient une affaire luxueuse, avec orgie de fleurs et défilé de limousines. Cela même que je désapprouvais passerait toutefois à l'arrière-plan au moment de la mise en terre: les couronnes funéraires, tapis rouges, voitures astiquées roulant lentement derrière le corbillard, rosaires récités au pied de la tombe paraîtraient bien dérisoires lorsque le cercueil descendrait dans la fosse. Ce moment de vérité, aucune cérémonie n'en maquillerait la dureté, car les poignées de terre sur la bière, c'est pour de vrai.

De plus en plus j'avais la nausée. J'avais beau rappeler à moi la chaleur du corps de Paul, la finesse soyeuse de ses cheveux, la séduisante épaisseur de ses épaules, ces images ne tenaient pas le coup. Bientôt je voyais la terre tombant lourdement au fond de la fosse, le cercueil matelassé de satin blanc, le corps de Paul reposant dans sa raideur. C'était là plus que je ne pouvais supporter, et rabattant la tête entre les jambes, je me suis mise à vomir.

Tremblante, le front moite, j'avais finalement ren-
versé la tête en arrière. J'étais seule, j'étais nulle part, sous
le ciel qui tournait entre la cime des arbres.

Je voulais rentrer, mais je n'avais pas le courage de
chercher un taxi. C'est alors que j'ai aperçu Michel de
l'autre côté de la rue. Attendant que le feu passe au vert, il
ne me quittait pas des yeux. Comme la veille, il a couru
vers moi en se faufilant entre les voitures. Sûrement, il
avait assisté à toute la scène, mais je me sentais trop faible pour avoir honte. Michel s'est immobilisé devant le
banc, à court de mots. Puis il m'a cueillie par la taille en
disant que je ne pouvais pas rester là.

Nous éloignant de la rue, nous avons marché sous les
grands arbres, vers les pelouses vallonnées. Me tenant
solidement contre lui, Michel m'a avoué qu'il n'était pas
venu par hasard dans ce parc. Il avait voulu me revoir et il
s'était fié à une intuition. Évidemment, il n'avait pas
prévu me trouver dans un si pauvre état. Mais il était
arrivé à temps, n'est-ce pas?

Une joue sur ma tête, Michel m'avait enveloppée
dans ses bras. Il m'avait emmenée en face d'un bassin au
milieu duquel s'élevait une fontaine. Sur un autre banc,
nous regardions en silence les jets lumineux qui montaient
et s'épanouissaient dans les airs, pour retomber mollement. Leurs mouvements incessants m'apaisaient.

En quelques mots, j'ai raconté l'accident de Paul et le
coma dont il n'était jamais sorti, mes visites à l'hôpital,
enfin le dénouement encore tout vif de l'histoire. Tandis
que les jets s'élevaient en bouquet, puis se pulvérisaient à
la surface de l'eau dans des froissements infimes, je

sentais avec une immense gratitude la poitrine de Michel
se soulever et s'affaisser contre moi, simplement respirer.

M'ayant écoutée attentivement, Michel m'a demandé
si j'étais encore très amoureuse de Paul au moment de
l'accident. J'ai fait non de la tête, puis cherchant à atténuer cette réponse qui m'avait échappé, j'ai haussé les
épaules en déclarant que je n'étais plus sûre de rien, surtout pas de mes sentiments envers Paul.

Ne voulant pas mentir à Michel ni entrer dans le détail
de ma vie, j'étais dans une impasse. Pourtant il aurait pu
comprendre, il était peut-être même la seule personne à
qui j'aurais pu me confier sans risquer d'altérer l'image de
Paul. Mais manquant de cran, je l'ai prié de ne plus me
questionner. Alors nous sommes demeurés là, à suivre des
yeux les renflements de l'eau et à attendre que les émotions passent. Michel, m'ayant toujours considérée
comme une femme volontaire, découvrait maintenant
celle qui se réveillait la nuit comme une enfant prise de
frayeurs.

Le soleil avait baissé lentement entre les arbres.
J'étais réconfortée par l'affection mêlée de désir qu'exha-
lait Michel, mais en même temps j'en étais gênée. Je lui ai
donc suggéré de me raccompagner chez moi, et nous
avons quitté le parc en laissant s'éteindre derrière nous le
bruissement des jets d'eau.

Depuis ce jour-là, soit depuis plus de deux mois, je
n'ai pas revu Michel. Dans les circonstances, sa capacité
de tendresse et de sensualité serait trop grande pour moi.

Bien sûr, il m'a téléphoné à plusieurs reprises. Et s'il
s'est étonné que je décline chacune de ses invitations, il
n'a pas insisté.

Reconnaissante de son aide, je n'en suis pas moins sur la défensive. Michel croit que je lui fais grief de ce qui s'est passé entre nous la veille de la mort de Paul, et j'ai beau essayer de le détromper, rien n'y fait. D'ailleurs, il est d'autant plus persuadé d'avoir raison que je n'ai aucune explication à lui fournir, ne peux lui reprocher que ses trop bons sentiments. À présent toute manifestation de désir, même la plus bénigne (un piéton qui me suit, un camionneur qui siffle sur mon passage, un voisin de bar qui m'offre à boire), m'alarme ou me rebute. J'ai envie qu'on me laisse tranquille, qu'on ne me prenne pas à la légère, qu'on ne m'agresse pas. Michel a tort de supposer que je lui en veux pour cette nuit où il s'est occupé de moi, m'a fait revenir à moi-même, et j'espère qu'il finira par concevoir que je ne souhaite pas, tout simplement, avoir à le repousser. Je sors à peine de la dépression où j'ai sombré après les funérailles et, mon équilibre étant toujours fragile, je ne veux rien faire pour le renverser.

Tout s'est déroulé comme prévu.

Paul étant fils unique, ses parents lui ont offert une cérémonie digne d'un enfant de famille riche. Le jour de l'enterrement, le soleil était impitoyable et la chaleur écrasante. Lorsque la mère de Paul a perdu connaissance devant la fosse, elle a sans doute suffoqué de chaleur autant que de peine.

Des amis sont venus assister à la mise en terre, avec qui j'avais tranché tous liens après l'accident. Lorsque j'ai fait l'effort de les remercier de leur présence, ils ont compris au ton de ma voix qu'il valait mieux en rester là. Personne ne se doutait des ennuis que j'avais eus avec Paul la dernière année, et c'était bien ainsi, mais il a fallu que je me montre distante pour qu'on ne me questionne pas.

Il y avait là, également, un ami de Paul qui se comportait d'étrange façon, me considérant bien en face même quand nos regards se croisaient, et souriant parfois du coin de la bouche comme pour me signifier qu'il me tenait à l'œil. Cet ami, c'était Gérard Lemire, un type que Paul admirait inconditionnellement, mais avec lequel je n'aimais pas frayer.

Trois inconnus se tenaient aussi à l'écart, à l'ombre d'un chêne. Il y en avait deux dans la trentaine, un grand noir frisé aux épaules étroites, au dos aussi voûté que s'il avait grandi penché sur une contrebasse, et un autre de taille moyenne, qui semblait ne pas apprécier outre mesure l'atmosphère mortuaire et être impatient de se trouver dans un bar, une coupe à la main. Élégants et réservés, ils étaient accompagnés d'un jeune blond dans la vingtaine peut-être, dont la beauté arrogante contrastait avec la timidité des gestes et du regard. Les trois sont repartis sans avoir adressé la parole à personne, après que le plus jeune eut jeté un bouquet de fleurs blanches dans la fosse. J'avais l'intuition que c'était l'un d'eux que j'avais entrevu avec Paul, le soir où j'étais revenue chez moi à l'improviste, mais cela ne suscitait en moi aucune colère, aucune aigreur. De l'amertume peut-être, de la colère certainement pas. Leur présence m'ébranlait surtout du fait qu'ils avaient connu une partie de la vie de Paul dont j'avais été exclue: étant là, ils faisaient de moi une intruse, en me rappelant qu'ils avaient autant sinon plus de raisons que moi de le pleurer.

Mais tout cela est du passé.

Depuis, je m'enferme chez moi comme dans une serre où je cultiverais mes souvenirs. Ne me sentant ni contrôle ni pouvoir sur l'état des choses, je n'ai le goût d'aucun changement.

Les effets de Paul, sa crème à raser, ses mules sous le lavabo, sa robe de chambre accrochée derrière la porte de la salle de bains, tout est encore là, rien n'a bougé, comme si ces objets faisaient partie de l'appartement au même titre que les murs, les portes et les fenêtres. Quant à sa pièce au fond du couloir, je n'y ai pas remis les pieds. Cela ne fait pas de différence toutefois, puisque je sais qu'elle est là.

Seule ma chambre est sans vestiges de ma vie avec Paul, mais lorsque je m'y réveille le matin, j'éprouve souvent la sensation d'avoir été victime d'un accident de voiture qui m'a laissée ahurie sur le pavé, les membres endoloris. Le conducteur ayant pris la fuite, je suis étonnée d'être toujours là.

Je sais qu'il me faudra un jour quitter cet appartement, mais j'aimerais partir sans laisser de traces: la mémoire des autres me gêne autant que la mienne. Je commence tout juste à m'habituer à l'idée d'être seule, et j'ai besoin d'échapper à ceux que je fréquentais du temps où j'étais «la femme de Paul». Pendant cinq ans, je me suis fabriqué une image qui m'allait comme une deuxième peau: être «la femme de Paul» me convenait, me plaisait même. Mais maintenant que je dois m'en défaire, je ne supporterais pas que les autres l'entretiennent, me la fassent endosser comme une camisole de force, se figurent que je suis toujours celle qu'ils ont connue avec Paul.

Comme si toute cette histoire n'avait pas été assez pénible, il a fallu que Lemire s'en mêle et me donne un autre motif de m'isoler.

Quelques jours après l'enterrement, il est venu sonner à ma porte, un soir où je n'attendais personne. Il était près de dix heures, et j'ai hésité à aller ouvrir.

S'il ne s'était pas annoncé, c'était probablement parce qu'il avait craint d'être rebuté. On avait dû lui dire que j'étais devenue sauvage, et il avait choisi de me solliciter à domicile, comme un démarcheur. En l'apercevant à travers les carreaux de la porte d'entrée, j'ai été tentée de rebrousser chemin. Puis, me rappelant son comportement du jour de l'enterrement, j'ai été curieuse. Ses sourires condescendants devant la tombe de Paul m'intriguaient, me donnaient à penser qu'il en savait peut-être autant que moi sur les circonstances de l'accident. Alors je l'ai invité au salon.

Lemire m'a toujours inspiré de la méfiance, et ce soir-là mon attitude était froide. À peine s'était-il installé dans un fauteuil que j'ai regretté de l'avoir laissé s'introduire chez moi. Il me regardait avec arrogance, prenait ses aises dans le seul but de me témoigner qu'il tenait la situation en main. J'essayais de ne pas perdre de vue que tout cela n'était que mise en scène, malgré moi j'étais aux cent coups.

Avant même que j'aie pu dire un mot, il m'a suggéré de lui offrir à boire. Il était venu me parler de Paul, lui qui était bien le dernier dont l'opinion m'intéressait, mais je l'avais reçu chez moi et j'allais devoir l'écouter.

Tandis que je lui versais un bourbon, il n'a pas bougé de son fauteuil. Il s'y était installé confortablement, les jambes allongées sur la table basse, une cigarette pendant au bout du bras. M'étant assise à mon tour, j'ai découvert que je n'avais rien, mais rien, à lui cacher.

D'abord, il m'a fait part de ses impressions de l'enterrement. Il y avait là plusieurs personnes qu'il n'avait pas vues depuis longtemps et qu'il avait été content de retrouver, a-t-il dit. Il aurait préféré, bien sûr, que ce soit dans d'autres circonstances, mais on ne choisissait pas toujours, n'est-ce pas? J'avais dû remarquer aussi les trois types qui n'avaient fait qu'une brève apparition? Paul aurait été heureux de les savoir là. Or cela, il ne me l'apprenait sans doute pas… Et il valait mieux en venir au fait.

N'était-il pas étrange, a-t-il poursuivi, qu'aucune autre voiture n'ait été impliquée dans l'accident? Paul était pourtant un bon conducteur, dont les facultés n'étaient pas atténuées par l'alcool, ni par des drogues ou des médicaments. Une distraction, une perte de contrôle

ou une faiblesse momentanée? Une défectuosité mécani-
que? Ces explications-là étaient bonnes pour la police,
pour la famille, mais elles ne pouvaient pas nous satisfaire, nous…

Le ton de sa voix était insidieux. Je m'attendais à tout,
mais pas à de telles insinuations. Lorsqu'il avait mentionné les trois inconnus de l'enterrement, j'avais supposé
qu'il me détestait assez pour se charger de me dévoiler le
secret de Paul. Je m'étais trompée. Lemire savait que je
savais, et il était venu s'entendre me dire que Paul s'était
suicidé.

Je nous revoyais, Paul et moi, la veille de l'accident.
J'étais au piano. Sur le pas de la porte, Paul marmonnait
quelque chose. J'avais conscience qu'il me parlait et je
n'y prêtais pas attention, n'écoutant que ma musique.

Profitant de ma stupeur, Lemire s'est lancé dans des
raisonnements rapides comme par peur que je ne l'inter-
rompe. On ne pouvait être dupe au point de dissocier
l'accident de Paul des événements qui l'avaient précédé,
et je savais très bien à quoi il faisait allusion. Il y avait là
plus qu'un hasard, allez… Paul lui avait tout raconté en
détail, oui, même la scène qu'il y avait eu entre nous, deux
semaines avant sa mort.

Je n'en revenais pas. J'en étais non seulement secouée mais outrée. Car je m'étais bien disputée avec Paul,
plutôt violemment d'ailleurs, au moment où il avait
découvert mon intention de le quitter. Si Lemire avait eu
vent de cela, il pouvait être au courant de tout.

Ce jour-là, j'avais trouvé un appartement qui me plaisait. Comme le propriétaire était absent, j'avais demandé
qu'il m'appelle le lendemain, dans la matinée. Paul ne

savait pas encore que je me préparais à partir (je me pro-
posais de l'en informer à la toute dernière minute de façon
à ne pas aggraver la situation), et je préférais qu'il ne soit
pas là lorsque je discuterais location.

Le propriétaire avait téléphoné le soir même, pendant
que j'étais au cinéma, et c'était Paul qui avait reçu l'appel.
Quand j'étais rentrée, il m'attendait de pied ferme.

J'avais d'abord tenté de lui expliquer pourquoi je lui
avais caché mes démarches, puis voyant qu'il n'était pas
disposé à m'écouter, j'avais fait valoir qu'il était mieux
que nous nous séparions. Mais Paul, qui ne l'entendait pas
ainsi, n'était pas près de me pardonner mes dissimulations. J'avais agi de façon malhonnête, disait-il, en mûris-
sant tout à son insu. Bien sûr, cela ne me dérangeait pas de
le plonger dans l'embarras, de l'humilier. J'avais vécu à
ses dépens pendant des années, et maintenant j'essayais de
filer en douce. Tout de même j'aurais pu le prévenir, pour
qu'il puisse s'organiser de son côté, mais il n'était pas surpris de mes procédés. Je serais partie à la dérobée, et un
soir en revenant du bureau il aurait trouvé la maison
vide… Paul, ayant élevé la voix, faisait les cent pas autour
de moi. J'aurais juré alors que ce qui le blessait le plus,
c'était de constater que j'étais sur le point de lui échapper
et qu'il n'avait plus d'ascendant sur moi. Aujourd'hui je
conçois qu'il avait peut-être peur aussi, tout simplement,
de se retrouver seul.

Il s'était inquiété des réactions de nos familles,
m'avait dit que je ne subsisterais pas avec mes seules
leçons de piano, que j'avais besoin de lui et que je ne tar-
derais pas à m'en rendre compte, que je ne devais pas
m'attendre cependant à ce qu'il me reprenne sous son
aile une fois que j'aurais mis les pieds dehors… Oh! et

puis si je voulais m'en aller, la porte était là. Il en avait assez de me supporter, assez de me voir jouer à la femme de maison et de m'entendre pianoter, assez de vivre avec une artiste de boudoir! Paul s'était monté, il secouait rageusement mes épaules. Comme s'il avait oublié jusqu'à l'objet de la scène qu'il me faisait, il débitait tout ce qui lui passait par la tête.

J'avais envie de le gifler pour lui faire reprendre ses esprits, mais tant d'insultes me faisant perdre contenance à mon tour, j'avais commencé à l'éclabousser de ce que je savais. D'abord en criant comme une perdue pour qu'il m'entende, ensuite d'une voix blanche et inépuisable. Je n'avais rien omis. Depuis les week-ends où il ne rentrait pas, jusqu'à la panne de voiture qui m'avait fait revenir à Montréal en pleine nuit, un certain vendredi. Oui, j'avais découvert pourquoi il ne voulait plus de moi, pourquoi il était devenu si rude à mon égard, mais jamais je ne m'en serais prise à lui s'il ne m'avait poussée à bout. Et maintenant que la vérité était déballée, il n'avait plus aucune raison de vouloir me retenir…

Paul s'était affaissé dans un fauteuil et, la tête sur les genoux, il avait pleuré au creux de ses mains.

Je n'avais pas prévu une telle réaction. Plutôt que de se durcir, il s'était écroulé, et pour la première fois depuis longtemps je sentais qu'il ne me détestait pas. Tant qu'il m'avait crue dans l'ignorance de tout, il avait pu adopter une attitude hostile, m'obligeant à me retrancher dans une réserve patiente. Mais, forte de ce que je savais, je venais d'inverser les rôles pour me rendre compte que Paul n'avait, quant à lui, aucune défense. Resté sans réplique, il n'avait pas essayé de me tenir tête et ne me cachait pas combien il était bouleversé par ce qui lui arrivait. Chose certaine, il n'était pas plus heureux ni moins secoué que moi dans cette affaire.

Vacillante, la gorge serrée, j'avais mis une main sur son épaule. Comme il ne me repoussait pas, je l'avais pris dans mes bras pour le bercer doucement. Alors il avait enfoui la tête au creux de mon estomac en me serrant par les hanches, comme s'il avait eu peur que je ne l'abandonne. Mais il n'avait rien à craindre. Je n'avais nullement l'intention de le laisser à sa peine.

Se cramponnant toujours, il m'avait avoué qu'il avait du mal à croire que j'aie été au courant de tout et que je n'aie rien dit. J'aurais pu faire des histoires, demander le divorce, rendre la chose publique par dépit… Au lieu de cela j'avais tout accepté en silence… Paul avait pleuré encore longtemps, comme il se serait installé dans une détente inattendue, salutaire. Il était mortifié d'avoir été percé à jour, mais peut-être surtout de prendre conscience de l'inutilité de son arrogance.

Le lendemain, j'avais décidé de ne pas me louer tout de suite un appartement. Je déménagerais quand la situation se serait calmée et que Paul se sentirait plus en confiance. Les faits étant éclaircis, nos rapports s'annonçant plus sincères, j'estimais qu'il valait mieux pour lui comme pour moi ne rien brusquer.

Je me trompais bien un peu, puisque les jours suivants Paul avait adopté une conduite qui, sans être agressive, ne favorisait pas les contacts francs. De nouveau, il tâchait de s'intéresser à ce que je faisais, mais ma présence continuait manifestement de lui être importune. Sortant presque tous les soirs, il était plus agité que jamais. L'air misérablement coupable, il donnait l'impression de se fuir lui-même et de ne pouvoir être heureux avec personne, pas même avec cet homme qu'apparemment il voyait toujours. Il se voulait aussi impénétrable qu'avant, mais ses dispositions malveillantes avaient fait place à une gentillesse froide, trop bien contrôlée. Si seulement il avait accepté de se livrer… Car il semblait tellement désorienté parfois que je ne concevais pas qu'il refuse mon aide.

Quant à cet homme dont il s'était épris, j'avais le sentiment que Paul se gardait de lui autant que de moi. Chaque situation lui renvoyant une image dans laquelle il ne se reconnaissait pas tout à fait, il en était réduit à faire la navette de l'une à l'autre. S'il ne pouvait pas plus me laisser qu'il ne pouvait renoncer à cet homme, il paraissait avoir besoin de penser que je l'aimais encore, comme si cela avait été essentiel au maintien de son équilibre. Et sans savoir si j'avais tort ou raison de le contenter, je ne l'en détrompais pas.

C'est que Paul m'inquiétait, qui devenait irresponsable et sabotait son existence, se laissait aller à sa misère. Faute d'énergie et de motivation, il avait réduit considérablement ses heures de bureau, ne se présentait pas toujours aux rendez-vous qu'il donnait à ses clients, ne retournait pas toujours leurs appels et n'ouvrait pas toujours son courrier. Craignant que sa vie ne se désagrège encore plus, je lui avais conseillé peu avant l'accident de fermer boutique et de prendre des vacances. Ses clients cesseraient ainsi de se poser des questions ou de s'impatienter, et cette pression-là en moins, il pourrait se consacrer à l'examen de ce qu'il vivait. Je lui avais aussi suggéré de voir un psychologue, un psychanalyste, un psychiatre (n'importe quel psy étranger à son histoire). Et malgré toutes les précautions dont j'avais usé, Paul s'était mis en colère. Il n'en était pas là, avait-il dit. Il n'était pas dérangé, pas fou… Car c'étaient

ces mots-là qui lui faisaient peur, bien plus que l'idée de se
retrouver dans un cabinet de consultation. Paul n'étant pas
un intellectuel mais un homme d'affaires, sa conception de
la folie était celle de tout le monde, traditionnelle, dépas-
sée. Et quand je dis tout le monde, je ne songe pas à ces
Californiens, New-Yorkais ou Parisiens aisés, pour qui la
visite hebdomadaire chez le psy est affaire de standing…
J'avais tâché de clarifier ma pensée, mais déjà je me l'étais
mis à dos, j'avais perdu sa confiance, et il était parti en claquant la porte. J'avais longtemps hésité à lui faire cette
suggestion, appréhendant qu'il ne s'en offense. Et c'était
exactement ce qui s'était passé.

Quelques jours plus tard, il y avait eu l'accident.

C'était un samedi matin. Paul m'avait informée, la
veille, de son intention d'aller passer le week-end dans
une auberge des Laurentides. Il irait seul et ne rentrerait
que le dimanche soir. À mon réveil, il était déjà parti. Une
note qu'il m'avait laissée dans la salle à manger disait
d'abord qu'il avait pris sa moto pour ne pas me priver de
la voiture, ensuite que je ne devais pas m'en faire, que tout
irait bien. Ayant l'impression de savoir enfin ce qu'il voulait, il était déjà un peu plus heureux, et il s'excusait de
tout ce que j'avais eu à endurer. Affectueusement, Paul.

À le lire, j'avais conclu qu'il était en meilleure disposition et espéré qu'il reviendrait moins tendu, moins acca-
blé. J'avais parlé de vacances, et il se retirait un moment à
la campagne, alors je me disais que l'idée du psychologue
allait peut-être faire son chemin, elle aussi.

Le temps était superbe, c'était une des premières belles journées de l'été, et vers dix heures le soleil remplissait déjà toutes les pièces de la maison. J'avais lu le journal et je me préparais à sortir, lorsque le téléphone avait

sonné. Paul avait été transporté d'urgence à l'hôpital, dans un service de soins intensifs, et on me demandait de me présenter au comptoir des admissions dans les plus brefs délais.

Maintenant Lemire était là, qui insinuait que Paul s'était suicidé. Les motos, ça pouvait être dangereux, continuait-il. Et si j'avais vraiment tenu à Paul, je ne l'aurais pas laissé partir seul, ce matin-là.

Me surveillant du coin de l'œil, Lemire avait l'air satisfait. Il faisait rouler son verre entre ses mains, et le salon se remplissait du bruit des glaçons s'entrechoquant.

Son numéro avait été brillant.

Assez adroit pour ne formuler clairement aucune accusation, Lemire m'avait rendue responsable de tout. Sur le bout de son fauteuil, les épaules penchées en avant et le visage tendu, il avait tenté de m'intimider, chaque phrase sortant de ses lèvres comme une attaque bien frappée.

Tout en lui, ses gestes, sa voix, son regard, tout me réprouvait encore à présent.

Lemire s'était tu.

Se calant dans son fauteuil, il s'est lentement allumé une cigarette. Il souriait vaguement, en renversant la tête pour regarder la fumée se dissiper dans les airs, et je ne pouvais me défendre de penser qu'il était malade, oui, complètement malade. Et malsain. J'ignorais s'il était convaincu de ce qu'il avançait, mais de toute façon il m'inspirait de la répulsion. Comme un joueur ayant annoncé une très forte mise, il me considérait avec un plaisir affecté et une assurance supérieure.

Alors, me dressant sur ma chaise, je lui ai lancé mon verre à la figure. Un instant nous sommes restés sans bouger, face à face, nous jaugeant l'un l'autre comme des bêtes prêtes à bondir. Il me détestait, cela ne faisait pas de doute, mais je le détestais aussi, et il le savait. Le visage mouillé d'alcool, Lemire restait impassible, se maîtrisait. Une fois l'effet de surprise passé, il s'est essuyé le visage du revers de la main, en déclarant posément qu'il aurait dû s'y attendre. En dépit des apparences, il m'avait toujours crue impétueuse, et je venais de lui donner raison…

Je ne me possédais plus d'aversion. Si je ne voulais pas donner prise aux insinuations de Lemire, je n'arrivais pas à les écarter aussi aisément que je l'aurais voulu. Quant au verre qu'il avait pris en pleine figure, je ne le regrettais pas. Je lui aurais sauté à la gorge, si j'avais pu. À présent je voulais qu'il me laisse tranquille. Sentant les larmes me monter aux yeux, je me suis levée dans un bref étourdissement, me suis dirigée vers la porte d'entrée et lui ai ordonné de partir.

Détendu, presque nonchalant, Lemire s'est plié à ma volonté, mais avant de sortir il s'est arrêté net. S'étant retourné, il a dit que nous aurions l'occasion de reparler de tout cela: sûrement je serais curieuse des réactions des amis de Paul à sa version des faits?

Alors je lui ai répété de foutre le camp, qu'il me répugnait, et longtemps après son départ ces mots ont continué de résonner dans ma tête.

J'avais refusé de me récrier, de me défendre, et malgré sa petite douche d'alcool, Lemire était parti le front haut. Il avait cherché à provoquer une altercation où il se serait amusé à me donner la réplique, mais je ne lui avais pas donné la chance d'exercer sa verve contre moi. Ses propos ne m'avaient visiblement pas laissée indifférente, cependant il n'avait pas eu la satisfaction de me voir me débattre. Aucune protestation, dénégation, justification. Ses accusations étaient tombées à plat. Du moins en apparence.

Car lorsque je suis revenue devant son fauteuil vide, ses perfidies ont commencé à m'atteindre. Le venin faisait son travail. Peu importait qui avait avancé l'hypothèse du suicide de Paul et dans quelles circonstances, elle s'imposait progressivement. Les motifs qu'avait eus Lemire de s'en prendre à moi, je ne les ai pas même interrogés sur le coup, n'ayant plus eu de pensées pour lui.

En soupçonnant Paul de s'être suicidé, il avait fait mon procès, maintenant je le refaisais à mon tour. Ce qu'il avait dit m'avait outragée, mais pas absolument stupéfiée: l'idée d'un suicide m'avait effleurée les premiers jours après l'accident. Chaque fois j'en avais frémi, puis je l'avais jugée saugrenue, sans fondement. Rien, aucun indice ne justifiait une telle imagination; et après m'avoir ébranlée, elle s'était en quelque sorte dissipée d'elle-même. L'état émotif précaire de Paul n'était pas la seule donnée à considérer, celui-là ayant paru plus confiant la veille de l'accident. Même son dernier mot m'avait encouragée, et pas un instant je ne lui aurais prêté l'intention de se tuer.

Toutefois, si j'avais écarté la possibilité d'un suicide, c'était peut-être surtout que j'avais peine à admettre qu'on puisse en arriver là dans un parfait silence. Accomplir un acte aussi radical en le privant de sa portée, de sa signification. S'enlever la vie sans laisser ni mot d'adieu ni évidence. Se nier à l'extrême en se souciant si peu du reste du monde. À moins d'être complètement seul ou de se sentir délaissé… Or Paul n'était pas seul. Et je ne l'avais pas abandonné.

Non, Paul n'était pas seul. Dans mon esprit, cela voulait dire que s'il s'était suicidé en n'en laissant rien paraître, c'était surtout ma personne qu'il avait niée, pas la sienne, et que le reste du monde dont il avait fait si peu de cas, c'était d'abord moi. Peut-être était-ce cela que je n'avais pu accepter depuis le début, cela que la visite de Lemire m'avait permis de comprendre.

Bouleversée, j'en venais presque à reconnaître que j'avais eu tous les torts et, apercevant enfin les raisons pour lesquelles j'avais écarté mes intuitions les plus noires, je concevais que je n'avais peut-être cherché qu'à me préserver.

Les certitudes que je m'étais fabriquées s'étant mises à vaciller, je me désespérais à l'idée que mes interrogations sur la mort de Paul puissent rester à jamais sans réponse. Ce qui me troublait surtout, c'était l'extraordinaire assurance dont Lemire avait fait preuve. Redoutant que Paul se soit confié à lui avant de mourir, j'envisageais avec exaspération la possibilité qu'il en sache plus long que moi. Toutefois il était hors de question que je le rencontre de nouveau pour en avoir le cœur net. Du reste, je commençais à lire différemment le mot que Paul m'avait laissé ce matin-là. «Et si Lemire avait vu juste?…» concluais-je à part moi.

Quoi qu'il en soit, sa visite a sûrement produit les effets escomptés. Pendant plusieurs jours j'ai roulé dans ma tête toutes les conjectures imaginables, m'efforçant de rétablir avec une minutie maniaque chaque geste ou parole susceptible de démentir ou de prouver les allégations de Lemire. Malgré mes efforts cependant, je ne pouvais me raccrocher à rien.

Lemire, lui, ne donnait pas signe de vie.

Étrangement, plus le temps passait et plus mes préoccupations s'éloignaient de leur premier objet. Mes soupçons se déplaçant, c'était Lemire qui commençait à m'intéresser. Épuisée par mes spéculations sur la mort de Paul qui ne menaient nulle part, j'avais résolu de revenir en arrière plutôt que de me heurter sans fin aux mêmes questions. Oui, Lemire avait peut-être raison. Et après? Qu'est-ce que cela pouvait bien changer? Il était trop tard maintenant pour les vérités sans effet et les dépouilles d'évidence. Lemire était peut-être mieux renseigné que moi, mais même s'il pouvait établir que Paul s'était suicidé, il n'était pas en position de démontrer que c'était moi qui avais poussé Paul à se tuer, moi qui n'avais pas réussi à l'en empêcher. Lemire n'ayant rien d'un justicier et encore moins d'un moraliste, il était clair qu'il avait essayé non pas de reconstituer les faits pour que la vérité émerge au grand jour, mais plutôt de me faire porter le poids de la mort de Paul. Et je n'allais pas lui donner satisfaction.

Curieux, tout de même, que ce soit mon hostilité envers Lemire qui m'ait permis d'échapper à mes angoisses. Tant que j'étais la proie de mes propres inquiétudes, je pouvais m'imputer tous les torts, m'adresser tous les reproches. Mais il avait suffi qu'on me montre du doigt en m'accusant d'avoir commis une faute pour que cette faute me devienne étrangère. Parce que de coupable j'étais passée victime, j'avais fini de m'incriminer moi-même et commencé à me défendre, à m'insurger contre la mau-

vaise foi de mon assaillant. À son insu, Lemire m'avait
donc déchargée d'un fardeau énorme.

En me dressant contre ses insinuations, j'ai cessé de
me pencher sur les circonstances de l'accident pour me
pencher sur les motifs de Lemire. J'avais beau me creuser
la tête, j'étais dans le noir.

Pourtant, ce genre de manœuvre lui ressemblait. J'ai
toujours cru que Lemire était un être retors, anxieux de
dominer n'importe quelle situation. Ses relations n'étaient
jamais que des jeux de pouvoir, et les tensions dont il tirait
profit se transformaient vite en conflits, surtout s'il sentait
qu'on ne l'admirait pas. En fait Lemire n'était à son aise
que lorsqu'il se savait adulé, désiré.

Paul et moi avions adopté à son égard des attitudes
opposées. Paul cherchait à garder sa faveur, moi à le tenir
à distance, ceci depuis notre première rencontre qui datait
d'un an. Pour être dans ses bonnes grâces, il aurait fallu
que je me laisse séduire par lui. Mais je lui résistais, et il
m'en voulait.

Comme je l'évitais, nos contacts étaient rares et acci-
dentels. Nos heurts me semblant futiles, je restais à l'écart
afin de ne pas m'entremettre dans l'amitié que Paul lui
portait. Ce dernier, ayant en Lemire une confiance aveugle, n'a jamais compris que je sois réfractaire à son
charme. Je préférais ne rien lui expliquer, parce que
j'appréhendais d'abord qu'il ne soit blessé, ensuite qu'il
ne se range du côté de Lemire. D'ailleurs, une certaine
gêne me retenait de parler de ces choses avec Paul.

J'avais fait la connaissance de Lemire chez des amis. Agréable, il ne m'avait inspiré de prime abord aucune défiance: sans m'en rendre compte, je m'étais laissé prendre à ses manières séductrices.

Il avait des cheveux noirs plaqués lui dégageant le front, des hanches étroites, de longues jambes minces sous un pantalon serré, des épaules larges mais délicates, et une peau brune qui lui donnait un air méditerranéen. À peine me l'avait-on présenté qu'il m'avait entourée d'attentions, et j'en avais été flattée. Croyant qu'il me faisait une cour inoffensive, je l'avais laissé me raconter toutes sortes d'histoires intimes, avec un tel humour que ses indiscrétions m'étaient devenues acceptables. Il faisait le paon, mais il ne pouvait avoir aucune intention de trahir Paul, me disais-je. Pourtant, il avait fini par aller trop loin et par me choquer.

Plus d'une fois, lorsque je l'avais croisé dans le corridor reliant le salon à la salle à manger, il s'était amusé à me bloquer le passage en me pressant contre le mur. Agacée, je m'étais d'abord dérobée poliment, en lui faisant comprendre qu'il dépassait la mesure. Puis affectant une attitude légère, je lui avais suggéré que j'étais prête à écouter son baratin s'il agissait dans les règles: ma complicité n'irait pas plus loin.

Vers la fin de la soirée je dansais avec Paul lorsque Lemire, mettant la main sur son épaule, avait demandé à prendre sa place. Au milieu d'un slow, il avait commencé à m'étreindre intensément, glissant un genou entre mes

jambes et caressant, sans presque remuer la main, le bas
de mon dos. Bientôt j'avais senti son sexe se durcir sur ma
cuisse, et j'avais tâché de me libérer sans attirer l'attention. Paul était là, tout près, mais il était engagé dans une
conversation. La musique s'étant tue, je m'étais réfugiée
dans la salle à manger où on discutait ferme autour de la
table. Je ne voulais pas faire d'histoires et, craignant
d'avoir bêtement encouragé Lemire, je n'avais rien dit à
Paul.

Peu après, tout le monde étant réuni à la cuisine où on
débouchait des bouteilles de champagne, j'attendais dans
la pièce désertée que Paul se décide à partir. Pour moi la
soirée était terminée. Lemire, entêté, était venu me trouver. J'aurais consenti à une explication, mais déjà il
m'enveloppait de familiarités vaguement malicieuses, et
je l'avais prié de me laisser seule. Alors, sans se troubler,
il avait dit qu'il voulait passer la nuit avec moi, et que Paul
était d'accord. J'étais furieuse. Persuadée qu'il mentait au
sujet de Paul, je l'avais planté là en répondant qu'il ne
m'aurait pas de cette façon. La scène avait été brève, mais
mon idée sur lui était faite.

Il ne m'avait plus adressé la parole par la suite.

Paul de son côté s'était grisé de champagne, et quand
j'avais enfin réussi à l'entraîner dehors, Lemire avait déjà
quitté les lieux avec une autre femme.

Plus tard, Lemire avait pris un malin plaisir à me
répéter le même scénario. Sachant qu'il n'obtiendrait rien
de moi, il s'était quand même obstiné à me poursuivre de
ses avances, comme pour me moquer.

Paul, pour sa part, semblait n'être au courant de rien.
Il vantait toujours Lemire avec un tel engouement que je

craignais d'être en désavantage ou en défaveur s'il découvrait la vérité. Car Lemire était capable de raconter n'importe quoi, et je savais Paul crédule.

Je m'étais donc contentée de fuir Lemire, plutôt que de me mesurer à lui. J'avais l'intuition qu'il cherchait à dresser Paul contre moi, et comme il était manifestement sans scrupules, j'avais peur de ne pas être à la hauteur.

Ce qui était encore plus inouï, c'était que Lemire avait établi une rivalité non pas entre Paul et lui, mais entre lui et moi. En prétendant me désirer, ce n'était pas Paul qu'il semblait défier mais moi, même qu'il se comportait comme si Paul avait été notre unique enjeu...

Tenant apparemment à cet enjeu autant qu'à ce défi, il nous avait souvent invités à un chalet qu'il avait loué pour l'hiver. Je m'en étais chaque fois sauvée sous différents prétextes, et Paul y était allé seul. Au téléphone, Lemire ne parlait que de me faire passer quelques nuits sous le même toit que lui, mais je le soupçonnais de vouloir en fait me priver de la présence de Paul. Si c'était là ce qu'il cherchait, il y parvenait sans effort.

Je n'ai jamais su si Paul avait vraiment accepté de «partager sa femme» avec Lemire, mais à bien y penser ce n'était peut-être pas impossible. Paul était plutôt conservateur, toutefois Lemire était un beau parleur et, sous le couvert d'idées subversives ayant force de prescription dans certains milieux, il avait bien pu trouver les arguments qu'il fallait.

Je le revois encore, un soir que nous étions avec des amis dans un bar et qu'il était survenu à l'improviste. S'arrachant l'attention de tout le monde, il parlait cette fois-là de la «libération des désirs». Globalement, j'étais d'accord avec ce qu'il avançait, mais rien ne m'aurait ôté de la tête qu'il était un triste opportuniste. Il fallait selon lui abolir l'exclusivité sexuelle, parce qu'elle transformait les gens tantôt en objets, tantôt en policiers, fonctionnait à la soumission et à la répression, soit à l'étouffement. Il fallait aussi repenser le couple, à bien des égards irremplaçable, parce qu'il ne pouvait exister dans sa forme actuelle en dehors d'un système de propriété, etc. Je résume et j'en passe, mais c'était en réalité un superbe discours, que personne n'avait le courage de contredire et qui ne faisait aucune part au sentiment amoureux. D'ailleurs cette idée de «subversion généralisée», que Lemire développait en faisant un éloge du désir, n'était à mon avis qu'une trouvaille pratique. Ce qu'il préconisait n'était pas un renversement des valeurs conjugales, mais une sorte de désordre amoureux, où la séduction continuerait de se jouer dans les formes et où les plus rusés trouveraient leur profit. En fait Lemire était un dragueur intelligent, un sexiste dangereux, c'est-à-dire se défendant trop habilement d'en être un. On n'avait qu'à l'entendre dénoncer les «capitalistes de l'amour» pour comprendre qu'il s'agissait là d'un simple exercice de style où il se mettait à son avantage. Si d'autres s'y laissaient attraper, moi j'étais sur mes gardes, le supposais même amoureusement impuissant. Lemire était peut-être un phraseur, il n'avait rien d'un tendre, d'un lascif ou d'un passionné. À l'écouter, j'avais l'impression de revivre une période de ma vie où les mots semblaient porter en eux la possibilité de tous les changements, plus encore en être garants. Mais Lemire était loin d'être un jeune homme aux vues idéalistes, ce qui aurait pu l'excuser. Individualiste et gourmand, il était conscient de son magnétisme et n'hésitait pas à s'en servir pour manipuler, subjuguer, tourner en ridicule quiconque le contredisait.

Voilà pour Lemire. Or Paul avait bien pu se laisser abuser…

J'ai beau fouiller ma mémoire toutefois, rien ne m'éclaire sur les motifs de la visite de Lemire après l'enterrement.

Je sais qu'il est sans pudeur, se flatte même de ne pas en avoir, mais j'ai peine à concevoir qu'il n'ait agi que pour me punir de l'avoir repoussé. Cela me paraît tellement absurde, hors de proportion… Non, je ne me persuade pas que son mobile ait été celui-là. Comme si sa venue inattendue cachait autre chose, que je finirai bien par découvrir.

Sept semaines ont passé, et les accusations de Lemire me touchent moins.

D'un autre côté, je crains qu'il n'ait mis ses menaces à exécution et fait circuler des bruits. Justifiée ou non, cette inquiétude me donne envie de fuir à l'étranger, de disparaître. Ne supportant plus d'être considérée comme la femme de Paul, je n'imagine pas non plus qu'on puisse me juger. Rien ne me prouve que Lemire a parlé, mais le danger est là. Du reste, il n'est peut-être pas le seul à avoir contemplé l'hypothèse d'un suicide, et cette pensée me sidère, me porte à me méfier de tout le monde…

Lemire peut toujours se figurer qu'il m'a isolée, que l'intimidation a porté ses fruits, j'en serais venue là de toute façon. Déjà, le jour de l'enterrement, les précautions infinies des amis de Paul et des miens m'avaient excédée. Et j'ai le sentiment que la mort de Paul favoriserait encore tous les détours. Toutes les distances.

Si j'ai envie de partir, je ne sais pas ce qui m'attend. Je voudrais qu'il se produise quelque chose, mais j'ignore quoi, comme si le seul fait d'avoir un œil ouvert sur l'avenir me réconfortait pour l'instant.

Depuis les funérailles, je me confine dans cet appartement comme dans mon ressentiment, je me laisse aller à un pathétique discret. Les journées arrivent à passer, mais je n'y suis pas pour grand-chose, ne faisant rien pour tuer le temps qu'écrire mon journal. J'ai peur de tout, peur de me réveiller le matin avec la certitude qu'un autre malheur vient de me frapper, peur que la nuit accouche avant terme pour m'abandonner aussi démunie et dépaysée qu'un nouveau-né.

rome, le 8 août

En deux mois, Rome a changé de visage. La lumière y est toujours aussi intense et diffuse, on y trouve toujours les mêmes décors somptueux aux charmes mêlés d'extravagance et de délicatesse, mais l'exaspération et l'affolement s'y sont installés.

Dans les cafés et les piazze, les conversations sont de plus en plus animées, et il n'est pas rare que des attroupements s'amassent devant des plates-formes improvisées, sur lesquelles des orateurs s'emploient à dénoncer l'incompétence du gouvernement ou les avatars du régime. Au pied des murs tapissés d'affiches et de graffiti, les affrontements entre groupuscules d'extrême gauche et d'extrême droite donnent lieu à des excès de violence qui, faisant partie maintenant du quotidien, peuvent éclater à tout moment. Tandis que les forces policières sont en état d'alerte, les touristes désertent progressivement la ville. Quant à moi, il n'est pas question que je quitte Rome. Je sens que le climat de tension finira par me gagner aussi, ajoutant à l'impatience et à l'anxiété que j'éprouve à écrire. Pourtant, lorsque je suis à ma table de travail, rien ne compte plus que l'écriture, comme si toute la réalité pouvait tenir dans les phrases que j'aligne les unes à la suite des autres, ou comme si ces phrases avaient le pouvoir de créer un nouvel ordre des choses, en plongeant le monde dans une demi-obscurité.

Que je sois dans ma chambre ou à la réception de l'hôtel, il me semble parfois que les rumeurs d'agitation ne me parviennent qu'assourdies. Depuis deux mois que je suis à Rome, je n'ai qu'un seul désir qui chasse tous les autres: terminer ce récit que j'ai entamé. Je n'aurai de répit que lorsque j'en aurai fermé la boucle, toutefois j'éprouve moins de difficulté à écrire que je ne l'avais prévu.

Ainsi, c'est aujourd'hui la première fois que je ressens le besoin de revenir à ce cahier-ci.

Relisant le début de mon manuscrit, qui ressemble à présent plus à un roman qu'à un journal, j'ai l'impression que la voix de Manon se confond étrangement avec la mienne. Comme si Manon n'avait eu qu'à amorcer la conversation pour que j'en devine d'avance toutes les répliques, j'éprouve le même sentiment de complicité que si elle était là et que j'étais à même de lui cueillir les mots dans la bouche. En fait je me suis prise au jeu de la simulation, à un tel point que je suis convaincue d'écrire comme Manon l'aurait fait, si elle avait eu la possibilité ou le courage de reprendre ses notes.

D'ailleurs ce récit, où celle qui dit «je» est à la fois narratrice et personnage, opère en soi cette condensation qui fait une même personne de Manon et de moi. Mais ce «je» qui nous conjugue nous exclut aussi toutes les deux, n'étant qu'une invention dans laquelle je me complais au bout du compte.

Dès que j'ai fait de Manon un personnage, je me suis rapprochée de la femme que j'aimais, qui occupait une place privilégiée dans le champ de mon imagination, mais en même temps je me suis éloignée de la véritable Manon, la sacrifiant non seulement à une image, mais encore à une image transposée. Je m'applique à refaire le portrait qu'elle a esquissé d'elle-même dans les cahiers numérotés, et ce portrait je me trouve l'enfermer dans un récit qui

ne propose que l'image d'une image. Lorsque j'écris
cependant, j'oublie que ce que je raconte n'entretient avec
le réel que des rapports ténus et lointains: les représentations de Manon épuisent toute sa réalité.

Quant au journal dont je m'inspire, je me surprends
parfois à le consulter comme un document dont la seule
utilité serait de me fournir après coup, mais après coup seulement, la preuve que ce que j'avance est authentique. Tout
se passe comme si mon récit prenait les devants et que,
doté d'une énergie propre, il anticipait sur ce qu'affirment
déjà les cahiers de Manon.

Or ces cahiers ne contiennent pas toute la vérité à son
sujet, n'offrent jamais qu'un tableau fragmentaire des événements qu'elle a vécus. Ce qu'ils ne disent pas, je dois
l'inventer, ou plutôt le découvrir. Car mon travail a peu à
voir avec l'invention romanesque: mon récit n'est pas
d'abord une construction imaginaire, mais le résultat
d'une lecture attentive, tentant de cerner ce que Manon a
voulu taire.

Ainsi, d'entrée de jeu, j'avais remarqué que Manon
appliquait souvent aux hommes qui lui plaisaient des qua-
lificatifs aux connotations féminines. J'étais persuadée
que cette tendance était significative, et qu'il me revenait
de l'interpréter. Dans mon récit, Manon en vient donc à se
demander si l'homosexualité latente de Paul ne l'avait pas
séduite à son insu, dès le début. Je ne fais que lui prêter ma
propre réflexion à ce sujet, mais ne dois-je pas tirer parti
de ma position extérieure, qui me libère de l'autocensure?

Tout cela est pure conjecture, j'en conviens, cependant j'ai la certitude que le témoignage est fidèle. Ce que
je propose n'est qu'une lecture personnelle des cahiers
numérotés, et si elle est loin d'être passive, il n'est pas dit

qu'elle soit inexacte. D'abord et avant tout respectueuse, elle n'a d'autre prétention que de suivre pas à pas le cheminement de Manon, tout en dégageant des replis de son journal ce qui pour elle était inavouable. Les émotions de Manon, il m'arrive de les éprouver à mon tour, et ce sont elles qui me dictent ce que je dois écrire. Dans ces conditions, comment pourrais-je me tromper?…

Je n'ai aucun mal à imaginer, en les mettant en scène, d'une part les sentiments indécis de Manon, d'autre part les faits eux-mêmes, la manière dont elle a pu les vivre ou dont ils ont pu se présenter. Or c'est au moment de la mise en scène, et uniquement à ce moment, qu'intervient pour moi l'invention romanesque. Les nombreux détails que Manon, parlant d'elle-même et de son propre univers, a naturellement laissés tomber, je me prends à les forger en cédant au mouvement de mon écriture, et à un certain souci de réalisme. Il me faut faire vrai à tout prix, quitte à fabriquer. Je travaille avec soin les lieux, l'identité et l'apparence des personnages, leurs réactions ou postures, bref tout ce qui relève de la représentation: «Le soleil avait baissé lentement derrière les arbres…», «Michel s'était retiré dans son atelier, et je ne percevais plus parfois que le bruit d'un papier qu'il froissait…»

Oui, curieusement, j'ai souvent la conviction que les choses n'ont pu se dérouler d'une autre façon que celle que j'imagine.

Même si, par exemple, Manon a été brève sur le sujet de Lemire, je jurerais de la justesse de mes intuitions. D'abord, je savais que ce dernier l'avait accusée d'être responsable de la mort de Paul, après avoir injecté dans ses pensées l'idée d'un suicide. Or, en relisant attentivement certains passages des cahiers numérotés, je crois

avoir percé les intentions de Lemire. Car Manon avait raison, il n'avait pas agi que par dépit... Pour ce qui est du
reste, de sa personne physique, de sa conduite et de son
discours, j'ai presque tout emprunté à des connaissances.
Mais cela n'a qu'une importance très secondaire: il me
fallait composer un personnage, et je l'ai fait.

Bien sûr, en me pliant ainsi aux besoins de la mise en
scène, je m'écarte du vécu. De toute façon l'authenticité
ne m'intéresse qu'indirectement, mon récit visant plus à
redoubler le point de vue de Manon qu'à raconter les faits
tels qu'ils ont eu lieu. Ce qui me travaille, c'est d'abord ce
qu'elle en a dit, ensuite ce qu'elle aurait pu en dire. Peu
importe donc que ma narration prenne des allures de fiction, devienne même incontrôlable, puisque la réalité sur
laquelle je me penche n'existe pas ailleurs que dans les
cahiers numérotés, dont je n'ai aucun moyen de vérifier
ici, à Rome, l'exactitude ni la sincérité. Du reste les
enquêtes ne sont pas mon affaire. La vérité non plus, si
elle ne doit être que la qualité de ce qui est vérifiable.

Il y a certes une autre vérité, inhérente celle-là aux
cahiers noirs, qui s'y trame en creux et en surface, étayant
la charpente ou tirant un voile. C'est elle que je cherche,
pressentant qu'une fois mise au jour elle sera aussi la
mienne.

Peut-être ne fais-je que surajouter mes propres fantasmes aux notes de Manon? Ou peut-être ne suis-je qu'une
critique idéaliste en quête d'un sens caché, dont le travail
procède de la complaisance ou de la mystification? Mais
ce n'est pas à moi d'en juger, d'autant que ce n'est pas de
littérature qu'il s'agit ici.

Je me souviens d'avoir lu un roman dans lequel le narrateur, s'étant retiré dans une petite ville pour écrire un ouvrage d'histoire, se trouvait un soir dans un bar en compagnie d'une grande femme séduisante, dont la présence ne suffisait pas toutefois à chasser le profond sentiment d'ennui qui s'était emparé de lui depuis qu'il s'était exilé. Pendant qu'elle s'attardait aux toilettes, il se mettait à se raconter ce qu'il était en train de vivre. Il se voyait dans un bar de province avec une grande femme à moitié soûle, qui en revenant des lavabos remettrait lascivement les bras autour de lui… Et alors qu'il ne se passait rien dans son existence, il avait le sentiment de vivre quelque chose d'exceptionnel ou d'être promis à un destin exaltant. «À peine débarqué à X j'étais allé dans un bar où…» Cette seule phrase contenait la promesse d'un dénouement, sur lequel elle anticipait et qui lui donnait la force ou le mystère d'un présage, d'une annonciation. «La fin précède toujours le début, disait-il, et tout récit se raconte toujours à l'envers…»

Ce passage est le seul souvenir que j'ai gardé du roman en question. Peut-être parce qu'il m'avait évoqué la période de mon enfance où, m'enfermant dans la salle de bains, je me racontais ainsi les incidents de ma vie?… Quoi qu'il en soit, il m'est revenu à l'esprit lorsque je me suis demandé si je n'aurais pas dû commencer mon récit par la fin, en situant d'abord l'action à Rome.

Ç'aurait été tout à fait légitime, mais la narratrice ne pouvant dire sa mort, il aurait fallu supprimer le réel dénouement. De plus, ayant moi-même une connaissance rétrospective des événements, j'aurais risqué que le point de vue de la narratrice et le mien s'entremêlent, en ôtant à mon récit sa qualité de démarche aveugle, hésitante. Oui, ma vision des faits aurait pu trahir celle des cahiers noirs,

où le sens de chaque épisode est suspendu dans l'ignorance de ce qui va suivre. Manon ne les a-t-elle pas rédi-
gés au fil des jours, sans savoir où sa vie la mènerait, et
encore moins comment elle finirait?

J'ai donc choisi de refaire le parcours de son écriture
sans en révéler d'avance l'aboutissement. Mais j'ai beau
essayer de l'oublier, la fin est toujours là qui me guette. Si
elle donne un air de fatalité à chaque événement raconté,
elle n'a pas encore pris tout son sens. Je commence à y
voir un peu plus clair, la mort de Manon me semblant déjà
moins inconcevable que le soir où je me suis trouvée, avec
mes bagages, au milieu de l'attroupement de la via
Veneto… Cependant, j'ignore toujours quelle lumière jet-
tera sur elle la chute du récit.

Pour le reste, il ne faut pas oublier que les cahiers de
Manon ressemblent plus à un ramassis de notes qu'à un
journal, et qu'il me faut y mettre de l'ordre. Chaque fois
que je modifie leur chronologie, c'est pour la bonne mar-
che du récit.

Quand même, il est singulier que le personnage de
Manon me soit si familier, malgré les expériences que je
lui attribue et que je n'ai pas vécues. La voie que retracent
les cahiers noirs, les valeurs qu'ils mettent de l'avant, les
jugements qu'ils formulent à demi-mot, tout cela que je
m'efforce de reproduire et que je me surprends à endosser,
comme si j'en étais l'auteur originale, me permet de mesurer la faible distance qui me séparait de Manon.

Si les cahiers noirs me présentaient une individualité
dont je me sentais éloignée tout en m'y reconnaissant, il
en est de même pour mon manuscrit. Quelque chose de
moi s'y perd et s'y trouve.

En écrivant dans cette chambre d'hôtel, je me confine dans une image de moi-même qui est de plus en plus indissociable de l'image de Manon que je reforme. Si au moins j'avais établi quelques relations à Rome, on me sortirait peut-être parfois de mes échafaudages imaginaires. Mais je travaille presque sans désemparer, et il me reste bien peu de temps pour faire de nouvelles connaissances. Par ailleurs, les gens qu'il m'est donné de rencontrer ne m'intéressent pas. Les clients de l'hôtel qui m'invitent à prendre un verre sont généralement des types voyageant seuls, des hommes d'affaires à la recherche soit d'un guide aimable et facile, soit d'une aventure clandestine. Que je me fasse accoster dans la rue, dans un bar ou dans un bus, toujours c'est le même cinéma. On me fait jouer malgré moi le rôle de la jeune-étrangère-sans-attaches-dans-un-pays-lointain. Cela ne serait pas trop détestable, si ce rôle n'était lui-même associé à celui de la jeune-femme-volage-en-quête-d'amants.

Quant aux Italiennes, elles entretiennent pour la plupart des préjugés défavorables à l'égard des étrangères sans partenaire. «Viaggia cosi da sola?» s'informent-elles en me regardant à l'oblique, l'air de ne savoir que penser de moi. Elles ont appris qu'une femme ne pouvait prendre une telle liberté et, même si elles saisissent qu'il y a là quelque chose d'injuste, elles ne recherchent pas ma compagnie.

Il ne me reste que Franco, qui malheureusement semble être dans une nouvelle disposition. Depuis une dizaine de jours il se fait plus entreprenant, va jusqu'à frapper à la porte de ma chambre, lorsqu'il sait que je me suis retirée pour la nuit. Sa réserve a fait place à une audace dont je ne le croyais pas capable (ayant en double les clés de toutes les chambres, il s'est même introduit chez moi un matin, alors que je dormais). Comme ces grands timides qui subissent un revirement de personnalité dès qu'ils s'abandonnent à leurs désirs secrets, Franco se gêne moins avec moi. L'homme délicat et conciliant a fait place à un amoureux décidé, se comportant comme si j'étais sa seule obsession. Loin d'être arrogant, il fait en sorte de ne pas m'effrayer ni me faire fuir. Mais je le sens toujours là, à rôder autour.

Je n'ai pourtant pas l'intention de quitter cet hôtel avant d'avoir mis le point final à mon manuscrit, et ce n'est pas l'attitude de Franco qui m'en chassera. Je suppose que si j'avais une seule aventure, il conclurait qu'il a des droits sur moi. Mais puisque je vis en ermite, déclinant souvent sous ses yeux les invitations des clients, il gardera probablement ses distances. Si la situation ne m'est pas franchement intolérable, je m'explique mal ce qui s'est passé. Franco, qui m'était agréable au début, s'est fait ridiculement ardent à partir du moment où je me suis livrée à mes humeurs solitaires, brouillonnes, sans plus aucune volonté de plaire, comme si l'écriture épuisait mes désirs, ou que j'étais en pleine histoire amoureuse.

Les cahiers de Manon sont toujours là, au coin de la table, mais ils ne me troublent pas plus maintenant que les autres objets qui m'entourent. Je me suis habituée à cette chambre, à la disposition des meubles et même à l'éclairage couleur d'ambre, qui de jour ou de nuit me donne l'impression d'être dans une eau sombre.

Je viens de jeter un œil sur les dernières pages de mon deuxième cahier à tranches rouges, et il me presse de me remettre au travail. Je craignais qu'il ne me soit difficile de reprendre le fil, mais rien ne me dit autant que de pousser mon récit plus avant.

CAHIERS À TRANCHES ROUGES

2

Avant de rencontrer Andrée, puis d'emménager chez elle, j'ai passé quelques mois encore dans une léthargie que les chaleurs humides de fin d'été n'ont fait qu'empirer.

Les mois d'août et de septembre se sont écoulés imperceptiblement, comme à mon insu, emportant avec eux mes dernières réserves d'énergie, mes dernières volontés de changement. À mon piano, je me maintenais dans une sorte de torpeur qui n'était pas sans rappeler celle des dimanches après-midi pluvieux.

Depuis que j'habite avec Andrée toutefois, depuis que le hasard est venu à ma rescousse et que j'ai recommencé à bouger, à m'agiter, depuis que j'ai échappé à la langueur torride de ces jours où l'air immobile, alourdi, semblait devoir ralentir jusqu'aux mouvements de ma pensée, je vois ces mois de mon existence comme une période de somnolence où, me laissant aller, je réussissais presque à croire parfois que j'étais heureuse.

Insensible à mon environnement physique, je fermais les yeux sur tout ce qui était susceptible de rappeler Paul à ma mémoire. Je songeais à partir, à prendre un nouveau logement, mais toujours j'étais paralysée par la même force d'inertie ou je succombais à la même indifférence. Mes résolutions tournaient à vide. Et, ne sachant plus que faire de ma vie, j'attendais que ma vie fasse quelque chose de moi.

J'étais trop indolente pour souffrir, trop amorphe pour me souvenir, et de fait je me demande encore où j'ai trouvé le courage de reprendre mes leçons de piano. Seule la musique pouvait alors me réconcilier avec moi-même, en m'immergeant dans un univers parallèle où chaque émotion avait la pureté d'une abstraction, la forme floue d'une image à peine reconnaissable, la durée momentanée d'une intuition qui nous échappe. C'est elle qui, en dématérialisant mes sentiments, a empêché ma conscience affective de s'étioler. Je ne voulais plus m'exposer à quoi que ce soit de troublant, mais la musique parvenait encore heureusement à m'émouvoir, à me bouleverser sans me détruire, à préserver en moi cette part de vulnérabilité sans laquelle on devient fou.

Chaque jour je recevais donc les visites de mes élèves. Assise sous la fenêtre du salon, à côté du piano, j'écoutais les mouvements répétitifs ou hésitants de la musique que faisaient leurs doigts tremblants. La plupart étaient jeunes, mais n'étaient plus des enfants. Malgré l'accident de Paul qui m'avait obligée à suspendre mes leçons, ils m'étaient restés fidèles, semblaient aussi attachés à moi que j'étais attachée à eux. Soupçonnant à quel point j'avais été secouée par la mort de mon mari, ils me manifestaient une compassion gênée. Ils n'avaient pas encore perdu le sens du tragique, et cela les rapprochait de moi. Ils ne me posaient jamais de questions sur ma vie privée, nos liens étant étroits mais impersonnels, et je les sentais souvent curieux à mon sujet. Il est vrai que mon comportement devait parfois leur sembler un peu surprenant, imprévisible, comme lorsque je me mettais à les accompagner en fredonnant tout bas, les larmes aux yeux, ou que je leur tenais nerveusement la main en commentant leur interprétation de Mozart ou de Beethoven. Mais si ma conduite les désorientait, la musique alimentait nos connivences, et dans l'intimité d'un après-midi ensoleillé ou d'une matinée orageuse, j'ai eu plus d'une fois la conviction qu'ils m'admiraient en secret. J'avais fini par avoir besoin d'eux autant que de mon piano et, quand je les entendais monter l'escalier conduisant à mon appartement, j'éprouvais un réel soulagement. Leurs visites, qui ponctuaient le cours de mes journées, me libéraient du flou de mon existence et m'extirpaient de ma solitude, tout en me rassurant sur la santé de mes émotions, mon aptitude au sentiment.

Et puis, bien sûr, il y avait Daniel.

Il s'était présenté chez moi sans s'être annoncé, pour me demander si je n'accepterais pas de le prendre comme élève. Tous les anciens m'étaient revenus, et mon horaire était déjà chargé. Mais Daniel m'avait séduite instantanément, et je m'étais vue incapable de refuser. Il avait donc obtenu de moi que je le reçoive deux fois par semaine.

Il n'était pas un débutant et, dès notre première rencontre, sa sensibilité m'avait frappée. Ses mains étaient d'une rare souplesse, ses doigts couraient sur le clavier le plus naturellement du monde, et puis il n'était pas comme les autres adolescents de son âge. Plus réservé, presque trop posé, il avait dans le regard quelque chose de vague et de passionné, évoquant la soumission d'un être indompté. Lorsqu'il arrivait chez moi, cartable de musique sous le bras et chemise blanche impeccable, cheveux fauves élégamment désordonnés, il me rappelait ces jeunes garçons des films européens d'après-guerre, qui semblaient souffrir autant de leur beauté que de la laideur de l'histoire, de la difficulté ou du refus de s'y faire une place.

Lorsque Daniel était au piano, j'éprouvais des embarras de jeune fille rosissante. Mais le sentant aussi intimidé que moi, je me plaisais à croire que c'était le signe d'une attraction indicible. J'avais de nouveau seize ans, et un frôlement de mains me faisait chavirer. Ainsi, Daniel avait le pouvoir de me ranimer, tandis que son univers à lui me paraissait aussi intangible qu'un rayon de lumière dans une flaque d'huile.

Souvent, à notre insu, l'heure de la leçon s'étirait jusqu'en fin d'après-midi. Accablée d'une fatigue soudaine, je me levais pour lui donner le signal du départ. En gagnant le vestibule, il plongeait les mains dans ses poches pour en tirer des billets soigneusement pliés, qu'il me tendait l'air de penser à autre chose. Il me déplaisait de prendre cet argent, mais j'étais consciente que (contrairement au marché conclu) c'était le prix à payer pour sa présence.

Bien sûr, j'estimais que mes sentiments à son égard étaient déplacés: Daniel était encore un garçon, et il ne se doutait sûrement pas du trouble immense qu'il me causait. Alors, craignant de lui laisser deviner mon attirance, j'avais bientôt pris avec lui des attitudes distantes, qui ne pouvaient que le blesser.

Si ma froideur le déroutait, les émotions qu'il suscitait en moi me déroutaient tout autant, car depuis la mort de Paul je m'étais exercée à ne rien éprouver. J'avais voulu désamorcer mes réflexes émotifs, cesser de ressentir comme on cesse de parler, mais Daniel avait eu raison de mes défenses.

Je ne saurais décrire mon désarroi lorsque, à la mi-septembre, il m'a annoncé son départ pour l'Angleterre.

Après sa dernière leçon, il m'a longuement parlé de lui et de sa mère, comme si notre séparation imminente l'avait autorisé à se livrer.

Ses parents avaient divorcé peu après sa naissance, et il n'avait jamais vu de son père que de vieilles photos prises le matin des noces. Il avait donc grandi seul avec sa mère, jusqu'au jour où elle l'avait confié à une amie pour suivre un homme à Londres. De toute évidence Daniel n'avait jamais pardonné à sa mère, dont il était amoureux fou, de l'avoir abandonné à une étrangère qu'il abhorrait par la force des choses. Pour la première fois, j'apercevais derrière le garçon paisible un jeune homme tourmenté, peut-être même jaloux. Décrivant l'amant de sa mère comme s'il en avait fait très consciemment son rival, il ne se rendait pas compte encore du rôle qu'il avait pu me faire jouer dans son histoire. Car, sa mère l'ayant rejeté, il ne m'avait peut-être pas troublée aussi innocemment que je l'avais cru, avait peut-être reporté sur moi des désirs qui n'étaient plus ceux d'un enfant, ou plutôt que l'âge ne suffit pas à interdire.

Avant de partir, il m'a offert une jolie broche en toc, un plat miroir biscauté faisant l'effet d'un cube, et a poussé l'audace jusqu'à l'épingler lui-même à mon chemisier. Puis il ne m'a plus donné signe de vie, sauf sur une carte postale de Paris, poliment banale.

Cette inclination que j'ai eue pour Daniel, discrète et vive, était sans doute la seule à ma mesure. Si je n'étais capable que d'amours impossibles, cela ne veut pas dire que j'étais incapable d'aimer. Les sentiments étaient là, je les reconnaissais, mais je ne les tolérais qu'en n'y cédant pas. D'ailleurs, le désir que m'inspirait Daniel n'appelait aucune satisfaction: il se repaissait de lui-même, et les moindres gestes ou paroles équivoques l'auraient fait s'évanouir. Toutefois, après le départ de Daniel, mes vagues imaginations ont croulé, m'ont désertée aussi.

Le mois de septembre tirait à sa fin, et passant de longues heures à mon piano, je redécouvrais un monde dont Paul m'avait en quelque sorte détournée. Bien sûr, il prenait toujours plaisir à m'entendre jouer. Mais trop souvent, le soir, il choisissait le moment où j'entamais un morceau pour venir me caresser, me séduire, comme si le temps que je consacrais à la musique avait été pour lui du temps volé. J'usais mes journées à donner des leçons, à faire les courses, le ménage, la cuisine, et je n'avais plus que mes soirées pour apprendre de nouvelles partitions ou m'exercer. Or, lorsque Paul m'arrachait à mon piano comme un grand jaloux, j'étais quand même heureuse de constater qu'il me voulait pour lui tout seul.

D'ailleurs, avec une insistance imperceptible, Paul m'avait découragée de me joindre à un orchestre. Et si de concerts en tournées notre relation dépérissait? suggérait-il. Renforçant mes propres peurs et hésitations, il avait réussi à me donner bonne conscience. Je menais une vie somme toute facile et n'avais peut-être pas vraiment envie de me lancer, tête baissée, dans ce qui risquait de tourner en une course au prestige. Paul n'avait donc pas tous les torts, qui n'avait fait à cet égard que sanctionner ma couardise.

Ayant perdu Daniel, je me suis mise à composer. La plupart du temps je commençais à travailler en fin d'après-midi et ne levais les yeux de mon clavier que tiraillée par la faim ou prise d'étourdissements. Je me revois le front et les mains moites, dans la chaleur pesante qui depuis le matin s'était installée dans la maison, m'accrochant à mon piano comme à une planche de salut… Jamais je ne me suis sentie plus en accord avec ma musique que durant ces derniers jours de septembre. Si l'accident de Paul m'en avait éloignée, j'y étais revenue avec plus d'ardeur. Quand je ne composais pas, je m'attaquais à des pièces de plus en plus difficiles, m'acharnais comme si le reste de ma vie avait dépendu de leur exécution parfaite. Hors la musique je n'avais plus rien, et j'avais beau me lancer des défis de virtuose, mon existence n'avait pas plus de consistance et de direction qu'une plume suspendue dans les airs par un souffle venu d'on ne sait où. N'attendant ni ne désirant plus rien, je faisais du sur-place en m'astreignant à une discipline très stricte. Sous prétexte de vouloir me dépasser, je travaillais sans répit, mais ce que je faisais était absolument gratuit, n'allait nulle part. Quant à mes leçons de piano, elles ne m'étaient plus grand-chose sans Daniel. D'ailleurs, les sommes que j'en retirais avaient perdu toute signification à la lumière du testament de Paul et du contrat d'assurances. N'ayant plus à pourvoir à ma subsistance, du moins dans l'immédiat, je me voyais privée du but premier de mon existence, ce qui n'était pas pour m'aider.

Qui sait ce que je serais devenue, et combien de temps une telle situation aurait pu durer, si je n'avais pas rencontré Andrée.

J'étais allée acheter des feuillets de musique dans l'ouest de la ville et je désespérais de me faire servir, lorsque j'ai vu entrer Michel. J'ignorais qu'il s'approvisionnait au même magasin que moi et, dans ma surprise, j'ai eu la tentation de me cacher derrière un autre client en attendant de pouvoir me glisser inaperçue vers la sortie. Mais, ayant constaté qu'il n'était pas seul, je me suis sentie moins en danger et me suis absorbée dans une partition, résignée à me faire aborder.

Ma première envie de fuir me rappelait la réaction des enfants qui, rendant visite à de vieilles parentes, appréhendent qu'on les cajole et qu'on les embrasse, se raidissent à la pensée du moindre contact. Oui, c'était bien cela, j'avais eu peur que Michel ne m'assaille, ne me prenne dans ses bras, peut-être aussi ne me reproche de l'avoir jusque-là tenu à l'écart. Mais parce qu'il était en compagnie d'une femme, mes peurs s'étaient atténuées: devant pareil témoin, il ne se permettrait pas de familiarités.

Son amie était jolie, grande (enfin plus grande que moi), avec des cheveux noirs courts et bouclés, qui flattaient la courbe de sa nuque. Elle avait les yeux bruns, vifs, les cils clairs et droits, ce qui donnait à son regard une immédiateté anxieuse. Sa peau était d'une blancheur translucide, ses joues à peine colorées de fard, et son nez étroit dessinait une ligne parfaite que brisait, de temps à autre, un sourire inégal mais non sans charme. Elle portait une vieille veste de gabardine noire, datant vraisemblablement des années trente, sur un débardeur de coton blanc

qui révélait des seins presque plats. Ample à la taille, son
pantalon n'en dissimulait pas pour autant la minceur, et
ses bottes de cuir fatiguées faisaient paraître ses jambes
élancées, plus encore qu'elles ne devaient l'être en réalité.

À vrai dire cette femme était fort séduisante, qui dans sa
tenue inusitée ne faisait rien pour l'être. Il n'y avait dans son
attitude rien d'affecté ni de provocant, la nonchalance d'un
jeune garçon s'y manifestant plutôt. Plus je la regardais, plus
je découvrais que son corps n'était pas seulement délicat,
mais presque maigre. Andrée, c'était son nom, n'était pas
non plus aussi jeune qu'on l'aurait cru de prime abord.

Mon attention captivée par elle, je n'avais pas vu
Michel s'approcher, et je me suis soudain trouvée face à
face avec lui. Il souriait, ravi de la coïncidence, sans son-
ger à me faire grief de mon attitude des derniers mois.
S'étant penché pour m'embrasser sur les joues, il m'a
entraînée avec enthousiasme vers Andrée, comme s'il
avait été pressé de me la présenter.

Elle me plaisait. À l'entendre, j'avais l'impression que
rien ne devait jamais l'étonner ni la décevoir, tant elle se
montrait pareillement drôle et désabusée. J'étais gagnée,
presque à mon corps défendant, par cela que je tenais déjà
pour une sorte de vouloir-vivre inconditionnel, comme si
sa fragilité n'avait pas manqué d'énergie ni d'arrogance.

Michel nous connaissait toutes les deux depuis longtemps, mais nous ne savions rien l'une de l'autre. Cela
aussi m'était agréable. Je suis donc restée avec eux jusqu'à
ce qu'ils aient terminé leurs achats. Puis nous sommes allés
prendre une bouchée.

Nous n'avons commandé que des hors-d'œuvre et du
vin, car l'accablante chaleur persistait et nous coupait la
faim. Michel était affectueux mais réservé, se comportait

plus comme un vieil ami que comme un ancien amant. Andrée et moi avions sans doute eu le même type de relation avec lui, mais il semblait bien aise de nous voir ensemble. De mon côté, j'avais la rassurante certitude qu'aucun fantôme de désir ne ressurgirait entre nous. J'étais heureuse de le voir, heureuse d'avoir rencontré Andrée, heureuse d'être dans un endroit public avec des amis. Pour la première fois depuis des mois, l'angoisse lâchait prise, et j'arrivais à rire sans effort.

Quand Michel a appris que j'habitais toujours le même appartement, il a froncé les sourcils, mais il n'a rien dit. Craignant qu'il n'en vienne malgré lui à trahir mes confidences, j'ai ajouté que je cherchais un autre logement, que je ne me complaisais pas dans le passé et que je ne voulais pas le ressasser. C'était clair, sans réplique, mais pour que cette sortie ne jette pas un froid, j'ai regardé furtivement Andrée en nuançant mes réflexions: je devais absolument me recréer un univers et, pour cette raison, j'éprouvais plus de plaisir à côtoyer des inconnus que de vieux amis, Michel étant une exception, bien entendu...

Alors, souriant et levant son verre, Andrée a dit qu'elle me comprenait et que dorénavant, puisque ce n'était sûrement pas la dernière fois que nous nous voyions, elle interdirait à quiconque de remuer des cendres en ma présence. Les gens étaient toujours trop curieux, a-t-elle continué, et on n'avait pas à s'excuser de ne pas vouloir refaire l'histoire de sa vie à chaque nouvelle rencontre. Pour manifester notre accord, Michel et moi avons aussi levé nos verres. À mon grand soulagement le sujet était clos, grâce à Andrée qui était venue à ma rescousse.

Plus tard, alors que nous touchions le fond d'une bouteille de vin, Michel m'a annoncé qu'il venait d'emménager dans la maison d'Andrée. C'était une construction à deux étages, qu'elle avait achetée après une rupture difficile et qu'elle décrivait comme une baraque attachante. L'ayant trouvée dans un état plutôt lamentable, elle l'avait eue à bon prix, mais avait dû travailler dur pour lui redonner son éclat des jours anciens. Lorsque les locataires du deuxième avaient finalement quitté les lieux, Michel les avait remplacés. Lui et Andrée, se partageant désormais les travaux d'entretien, avaient transformé la cour arrière en jardin et y avaient même aménagé une petite terrasse où, pendant l'été, ils avaient joué aux propriétaires et se l'étaient coulée douce à l'ombre d'un parasol.

Le vin aidant, Andrée et Michel se faisaient loquaces. Comme j'étais déterminée à ne rien dire sur mon compte, je n'avais qu'à m'abandonner au plaisir de les écouter. Andrée avait eu sa dernière aventure avec Michel un an plus tôt, mais depuis que celui-là projetait d'acheter sa part de la maison, ils avaient conclu un accord selon lequel il n'y aurait plus entre eux que des «affaires de cœur de laitue», selon l'expression d'Andrée. C'était elle qui avait insisté pour que les choses se passent ainsi, et lui s'était montré accommodant. Non qu'Andrée lui ait été alors sexuellement indifférente, mais il avait besoin autant de se lier que de se réserver. Michel était un amoureux constant qui vivait ses amours au jour le jour, un amant d'une fidélité à toute épreuve qui n'avait aucun sens de l'exclusivité. Et lorsqu'il s'attachait à une femme, elle était déjà une amie.

Andrée, ayant vu clair dans la personnalité de Michel, avait su faire les ajustements qu'il fallait pour le garder plus longtemps et plus près qu'il serait jamais possible à quiconque. L'image qu'elle m'offrait de leur relation à tous deux me rendait envieuse. D'elle, et peut-être aussi de lui.

En quittant le restaurant, Andrée m'a proposé de les accompagner à la maison pour prendre un dernier verre. Elle voulait me faire voir leurs appartements et, avait-elle ajouté, discuter de certaines choses avec moi.

C'est ce soir-là qu'Andrée m'a suggéré d'emménager avec elle, à ma grande surprise. Nous nous connaissions depuis quelques heures à peine, mais cela ne semblait pas l'inquiéter. Comme je cherchais un nouvel appartement et que j'étais une amie de Michel, l'idée lui en était venue tout simplement au cours de la conversation. Le rez-de-chaussée était beaucoup trop grand pour elle, et les frais d'entretien en étaient trop élevés. Si j'étais prête à risquer l'aventure, elle avait toujours eu pour sa part un faible pour l'inconnu. Elle devait naturellement voir avec Michel, mais nous pourrions en reparler sous peu.

La maison était spacieuse, Andrée était une femme attachante et Michel ne me faisait plus aussi peur qu'avant. Les jours qui ont suivi, j'en suis arrivée à me dire que c'était peut-être là le coup de hasard sur lequel je comptais pour que s'opère dans ma vie un bouleversement. La seule ombre au tableau était que Michel avait connu Paul. J'aurais voulu, idéalement, couper les ponts derrière moi. Mais il ne savait pas tout, et j'ai fini par décider que cela n'avait pas trop d'importance. Je n'avais jamais été une femme mariée à ses yeux, et en renouant avec lui, je raccorderais peut-être l'avant et l'après de ma vie, comme si mes années avec Paul n'avaient été qu'un accident de parcours.

Michel et Andrée avaient penché dans le même sens que moi, et deux semaines plus tard je déménageais.

Au rez-de-chaussée, dans ce vaste appartement aux murs blancs et aux boiseries foncées, Andrée et moi partageons la cuisine, le salon, la salle à manger, et disposons en plus de deux pièces chacune. Ma chambre est petite, avec vue sur le jardin, mais loin de m'y trouver à l'étroit, je m'y sens enveloppée, capable enfin de cerner ma vie. De mon appartement précédent je n'ai gardé que le piano, le lit et les plantes. Je me suis installée ici comme une évadée du foyer paternel ou une jeune mariée. Repartant de zéro, courant les magasins avec Andrée, je me suis composé un décor qui ne ressemble en rien à celui de mon passé avec Paul. Devant la fenêtre de ma chambre, un pan de voile filtre la lumière, et dans l'éclairage ensoleillé des matins d'hiver, je m'étonne souvent de l'extraordinaire facilité d'exister. Pour la première fois depuis que j'ai quitté ma chambre d'adolescente, j'ai l'impression de baigner dans un milieu féminin. Cela n'a rien à voir avec l'ordre et la fragilité, la coquetterie ou l'innocence. C'est une autre féminité que je découvre, moins facile à définir, mais dont Andrée serait le modèle parfait.

Quant à l'autre pièce dans laquelle j'ai mis le piano, je peux m'y retirer quand il me plaît sans craindre d'importuner Andrée ni de la priver de ma présence, comme j'en avais le sentiment avec Paul. Bien qu'Andrée ne connaisse rien à la musique, elle dit qu'en m'entendant travailler elle croit m'entendre respirer, et que depuis mon arrivée l'appartement semble s'être mis à respirer lui aussi.

Mais Andrée ne sait pas combien ma musique a changé dans cette maison. Je ne me préoccupe plus autant de ma technique et je me défends moins contre l'émotion, qui ne risque plus de me laisser pantelante ou désemparée. Les difficultés que j'éprouvais autrefois à composer se sont aplanies, et chaque nouvelle note inscrite sur les portées témoigne que je suis prête à relever le défi. En fait, ma passion pour la musique n'est plus refrénée par l'appréhension. Je sais à présent que c'était de moi que j'avais peur, de moi uniquement. Et je comprends que j'étais à mon égard non seulement le pire juge mais aussi la pire gêneuse. Victime de la règle, je me privais du plaisir de la déviance et de l'invention. C'est d'abord cela que j'ai découvert sous l'influence d'Andrée.

D'ailleurs, ma vie avec elle n'est pas plus rangée ni contrainte que ma musique. J'ai l'impression de m'être déployée comme un éventail. D'avoir quitté la profondeur immobile d'un lac et ressurgi à la surface brillante de l'eau. Mon horaire est devenu aussi irrégulier que celui d'Andrée. Toutefois je n'ai pas renoncé à mes leçons de piano, et le va-et-vient des élèves ponctue encore le cours de mes semaines, de sorte que je ne perds pas toute notion du temps qui passe.

Andrée ne travaille pas à heures fixes, consacrant quelques périodes par jour seulement à l'écriture d'émissions télévisées pour enfants. Comme elle s'absente rarement de la maison, il ne me reste que la nuit pour écrire mon journal, qui devient plus confus que jamais. La fatigue me brouille la tête, mais elle a l'avantage d'engourdir l'autocensure. Si mon journal y perd en clarté, il y gagne sûrement en vérité.

En plus d'être scénariste, Andrée a des dispositions pour la chronique photographique, l'enregistrement sur pellicule des petits faits domestiques. Son appareil se trouve toujours à portée de la main, il lui permet de «se» regarder vivre, dit-elle. Cet objectif braqué sur moi à tout moment m'a agacée un temps, car je voyais là une usurpation sur mon intimité, mais je ne me compose plus ni maintien ni visage. Avant, mon corps ne me semblait venir à l'existence que lorsqu'on le désirait, ou que je cherchais à attirer sur moi le désir de quelqu'un. Suivant la loi de l'offre et de la demande, il ne prenait de valeur à mes yeux que si la demande était forte. Maintenant, je l'accepte tel qu'il est dans l'instant même.

De toute façon, pour l'heure, je m'estime satisfaite, n'ayant pas envie de ce qu'il est convenu d'appeler des «conquêtes». Le vocabulaire amoureux me semble lui-même désuet, offensant, inapte. Je n'ai qu'à consulter le dictionnaire pour être confirmée dans mon opinion. Conquête: V. appropriation, assujettissement, domination, prise, soumission. La conquête des âmes, des cœurs. V. séduction, soumission. Il a fait sa conquête… etc. Cela dit tout. Les féministes ont commencé bien avant moi à relever les perles du langage amoureux, sans que cela ait rien changé, semble-t-il. Les discours de la raison ont donné l'alerte, se sont faits soupçonneux, dénonciateurs, politiques, mais n'ont pas empêché les désirs de parler toujours la même langue. Sans doute parce qu'il faut attendre qu'ils déparlent, avant qu'ils nous surprennent.

Si Andrée n'est pas non plus désespérément à la recherche de quelqu'un, nous ne nous terrons pas à la maison pour autant. En fait, nous avons pris l'habitude de traîner dans les boîtes du centre-ville. Je ne m'y sens pas aussi à l'aise qu'elle, cependant les scènes de bar me fascinent, comme si elles me renvoyaient une image de mon propre désordre. La tête bourdonnante de musique, de phrases inachevées et de soupirs étouffés, j'y vois le plaisir suivre sa voie, c'est-à-dire courir allègrement à sa perte. La fatigue qui s'imprime sur les visages, l'alcool qu'on verse et qu'on renverse, les cigarettes qui se consument sur le bord des cendriers, les tentatives de séduction ratées et les déceptions déguisées, la musique assommante qui vous oblige à hurler, même quand vous avez la prétention de murmurer des mots doux, c'est surtout cela qui me captive. On consomme son plaisir jusqu'à ce qu'il y ait déficit, dommages sans intérêts. C'est dans cette perte qu'on trouve son compte et que j'ai envie, moi aussi, de trouver le mien.

J'ai appris, avec Andrée, à ne battre en retraite qu'après que les garçons ont commencé à mettre les chaises sur les tables, lorsque l'éclairage d'un coup se fait plus intense. Chaque nuit nous avons droit au rituel de fermeture, les mêmes gestes se répétant sous les mêmes yeux gris des derniers clients. Si nous partions plus tôt, André et moi aurions l'impression que la nuit n'est pas arrivée à terme.

En tant que buveuses attardées, nous avons parfois à repousser les avances d'un client ivre, dont l'euphorie hésite au bord des larmes ou de la détresse. Même grisées, nous ne songerions pas à nous en flatter, car lorsqu'un homme ne voit en vous que sa dernière chance de finir la nuit avec une femme, il n'a généralement besoin que d'une chaleur sans visage. Si c'est moi qu'on aborde ainsi, Andrée vient à ma rescousse: ni apeurée ni rebutée, elle fait toujours preuve d'un doigté qui m'étonne. Il faut dire que je suis encore d'approche difficile. Je ne supporte pas qu'on envahisse mon espace, ma vue, qu'on me rappelle continuellement que je suis une femme et qu'on pourrait me lever, qu'on m'oblige à me justifier quand je demande qu'on me laisse la paix, comme si c'était anormal. Si on me dit farouche ou sauvage, cela ne me gêne pas, cependant je ne tolère pas qu'on me considère d'un air supérieur en suggérant que je suis une femme naïve, victime de blocages. Bien sûr que j'en ai, des blocages. Mais ils me regardent. Et je ne reconnais à personne le droit d'y aller de son diagnostic.

Ce qui est singulier, c'est que je me plaise quand même dans les bars, enfin pour autant qu'Andrée m'accompagne. Ma complicité avec elle devient plus évidente et plus sûre au milieu de tant de sollicitations, et j'éprouve aussi une satisfaction à m'affirmer différemment. Je ne fonds plus comme neige au soleil lorsqu'on m'accoste, et j'en suis fière, bien que mon assurance s'effrite pour peu qu'on devienne trop entreprenant ou qu'on me tienne tête. Heureusement, comme une éclipse, cela ne produit jamais sur moi qu'un effet passager.

Andrée, au contraire, ne fait pas l'effet d'être rebelle et se permet des aventures. Mais elle ne ramène plus personne à la maison, sachant l'embarras que cela me cause. Il n'est pas rare toutefois que ce soit elle qui me réveille le matin, pour me servir le café, la vie continuant comme si rien ne s'était passé. Andrée ignore toujours d'où me viennent mes distances, ma réserve, et si elle me désapprouve à part soi, elle ne m'adresse pas de reproches. Elle pourrait en faire toute une histoire (sous prétexte de vouloir m'aider), mais elle agit plutôt comme si c'était sans importance et ne pouvait être que temporaire. Je ne lui ai encore parlé qu'une seule fois de la mort de Paul, et je conçois que ma discrétion soit à ses yeux le signe d'un quelconque traumatisme. Mais à mon grand soulagement elle ne se prend ni pour une mère, ni pour une sauveuse d'âmes, ni pour une psychologue des profondeurs. Freud et Lacan peuvent dormir en paix, ce n'est pas elle qui les appellera à mon secours.

Je me surprends parfois à observer Andrée, à l'épier pour me distraire de moi-même. Ce qui m'étonne surtout derrière ses humeurs caustiques et sa propension à l'ironie, ses airs de tête brûlée, c'est un mélange de calme et de légèreté. Ce qui la dérange ne la touche pas, et ce qui la touche la dérange toujours. Étant extrême, elle est en outre infatigablement à la recherche d'un surplus de plaisir. Les bonheurs tranquilles n'ont aucun attrait pour elle, qui se réjouit de toute rupture du quotidien, de toute faille dans l'ordre des choses. À l'en croire, la nuit ne fait toujours que commencer, la musique n'est jamais assez forte, la vie jamais assez étourdissante. Souvent je me demande si ses fréquentes aventures ne trouvent pas là leur explication.

Un soir, profitant de ce qu'elle était particulièrement volubile, je l'ai questionnée sur ce qui la poussait aux croisements d'une nuit. Ce que je voulais savoir, c'était si elle ne souhaitait pas s'engager dans une relation privilégiée, enfin exclusive. Après avoir précisé que si elle y venait, ce ne serait pas de sitôt, elle s'est lancée avec zèle dans un monologue dont je n'aurais peut-être jamais vu la fin si le gérant du bar n'était venu nous signaler, vers trois heures du matin, qu'il était temps de partir.

Elle avait besoin de temps, disait elle. Besoin de se regarder vivre pour découvrir ce qu'elle pouvait attendre désormais d'une relation amoureuse. Chose certaine, sa solitude ne lui pesait pas, même qu'elle s'y sentait aussi à l'aise que dans de vieilles chaussures. Toutefois après

avoir divorcé, trois ans plus tôt, elle avait traversé une
période difficile. Son mari était parti étudier en France, et
elle ne l'avait jamais revu. Laissée à elle-même, elle s'était
d'abord sentie complètement démunie, insuffisante, lui
avait écrit plusieurs lettres pour s'assurer qu'il ne l'ou-
blierait pas. Les premiers mois il lui avait répondu assidû-
ment. Puis il s'était fait rare, jusqu'au jour où leur corres-
pondance avait cessé. Tandis qu'elle s'était enlisée dans
les souvenirs, lui s'était vite rétabli: dès sa troisième lettre,
il lui avait annoncé son intention de se mettre en ménage
avec une Allemande. Pour lui, le cercle s'était tout simplement défait, puis reformé.

De l'avis d'Andrée, pareil développement ne pouvait
être qu'un leurre. Souffrant de l'absence de son mari,
hébétée par cette séparation dont elle ne saisissait pas toutes les causes et accablée par un sentiment de faillite, elle
avait refusé de reproduire ailleurs, avec un autre homme,
la relation qu'elle avait eue avec lui. Ne sachant que faire
de sa solitude toute neuve, elle avait d'abord cherché à la
peupler par tous les moyens et, de liaisons en toquades,
s'était retrouvée plus seule que jamais. Comme sur un
tapis de billard, elle s'était heurtée à plusieurs inconnus
qui n'avaient pas fait attention à ses paniques d'enfant
perdue, d'enfant se croyant abandonnée dans un super-
marché. Dans cette lutte contre le vide, dans cet incessant
jeu de *bump and run,* elle s'était bientôt rendu compte que
c'était d'abord à elle-même qu'elle se heurtait chaque
fois. Même si les types qu'elle rencontrait étaient intéres-
sants, charmants, elle s'en lassait toujours rapidement et
inexplicablement, ne prenant de réel plaisir qu'aux premiers instants. Dès qu'une liaison risquait de devenir
sérieuse et plus exigeante, elle y mettait fin. Le souvenir

de ses années avec Pierre était toujours là, comme un garde-fou ou une sonnette d'alarme au seuil de sa conscience. Si elle ne savait pas encore ce qu'elle voulait, elle savait ce qu'elle ne voulait pas.

Cela avait duré un an, puis elle avait acheté la maison. S'élevant contre son éducation, qui lui avait trop longtemps fait croire que le centre de son existence ne pouvait être qu'un autre, de préférence un mari, sinon un amant, elle avait reconnu que tout pouvait avoir un sens en dehors d'une relation de couple. Même seule, même sans avoir remplacé Pierre, elle pouvait être heureuse. D'ailleurs, elle s'était persuadée que personne ne devrait reprendre dans sa vie à elle exactement la même place que lui.

Avant d'acheter la maison, elle n'avait voulu s'installer définitivement nulle part, comme si dans l'attente du prochain amant tout état n'avait pu être que provisoire. Ainsi, elle n'avait loué qu'un petit studio, dans lequel au bout d'un an elle n'avait pas encore posé de rideaux, parce que sa vie de célibataire ne lui semblait mériter aucun investissement. Elle était en transit, et le confort ou le bien-être ne pouvaient être que pour plus tard. Elle n'avait du reste aucune raison de se fixer, puisque sa vie serait fatalement chambardée dès qu'elle rencontrerait quelqu'un. Elle nichait donc dans son studio comme dans une remise.

Par chance, les travaux de réfection de la maison avaient changé sa façon de voir. Heureuse, fébrile, elle avait compris qu'elle avait été sotte d'attendre jusque-là, de languir en ignorant ce qu'elle voulait. Au milieu de son chantier, elle avait eu le sentiment d'entreprendre quelque chose de bénéfique, sa vie le valant bien.

En se délimitant un espace, puis en y prenant place, elle s'était donné un nouveau mode d'existence. Ayant cessé de chercher dans toutes les directions à la fois celui qui la prendrait sous son aile, elle avait aussi renoncé sans peine aux liaisons de complaisance, comme à celles qui ne devaient que combler les manques exposés par le départ de Pierre. D'ailleurs ces manques s'étaient (ô merveille!) comblés d'eux-mêmes.

Ses vues sur l'avenir s'étaient modifiées, et elle avait même découvert qu'il y avait place dans sa vie pour les amitiés féminines. Cela n'aurait pu seulement l'effleurer auparavant, puisque depuis la tendre enfance (tendre? il fallait voir…) sa sociabilité avait été tout entière fondée sur la séduction. Pour cette raison même, les femmes l'avaient toujours profondément ennuyée. Bien sûr, elle avait eu des amitiés passagères avec des compagnes de classe, des voisines et des collègues, mais elle n'y avait rien engagé, n'y ayant jamais vu que l'occasion de confidences fières ou fiévreuses sur ses péripéties amoureuses. Dans sa chambre entre cahiers et poupées, dans un escalier à la tombée de la nuit ou au comptoir d'un bar, elle n'avait jamais été transportée avec ses amies que par un seul sujet. M… avait promis de l'appeler, Y… l'avait raccompagnée chez elle après les cours, P… avait eu un accident en conduisant la voiture de son père, les parents de L… avaient été absents pendant une semaine, et il s'en était passé de belles chez lui, etc. Même sur les bancs d'école, les filles la trouvaient le plus souvent indifférente ou impatiente, parce qu'elle ne faisait attention qu'aux garçons.

Penchée sur son verre, Andrée semblait s'irriter de plus en plus contre elle-même. Elle s'en voulait de ses aveux, parce qu'elle s'en voulait de son passé. Nous étions accoudées au bar, et dès qu'un type cherchait à interrompre notre conversation, elle le repoussait gentiment mais fermement, en disant que nous souhaitions être seules. Rien ne l'aurait distraite de notre tête-à-tête, et j'en souriais intérieurement: Andrée, de toute évidence, n'était plus la petite fille qu'elle avait été. Si je m'amusais de son attitude, je n'en étais pas moins flattée d'avoir la préférence sur les types qui l'accostaient, comme si plus rien n'avait existé autour de nous, Andrée continuant de parler, moi de l'écouter.

Il avait fallu que son mari la quitte, poursuivait-elle, mais surtout que ses flirts la laissent insatisfaite, abrutie, pour qu'elle se rende compte que sa vie sexuelle était un désastre. Il y avait eu trop de matins creux, trop de réveils silencieux et maladroits, pour qu'elle ne finisse pas par comprendre qu'elle voulait tout autre chose.

Ses dispositions ayant changé, elle avait commencé d'apercevoir autour d'elle des femmes attachantes, passionnantes, et regretté de s'en être privée pendant plus d'un quart de siècle. En se liant d'amitié avec elles, Andrée avait constaté qu'elles avaient non seulement vécu une histoire semblable à la sienne, mais aussi développé un sens de la tendresse et de l'estime fort différent de celui qu'elles avaient décelé chez la plupart des hommes jusque-là... La différence tenait peut-être à ce qu'entre elles les sentiments étaient en grande partie désintéressés, n'étant assujettis à aucune volonté de contrôle? Mais était-ce aussi simple que cela? N'y avait-il pas aussi entre femmes une certaine forme d'attrait? Et n'avait-elle pas détecté chez Michel la même qualité d'affection, accompagnée cette fois de désir? N'était-ce pas pour cela, d'ailleurs, qu'il lui avait tant plu de prime abord?

Tandis qu'elle réfléchissait à haute voix, je songeais que la limite entre désir et attirance est souvent moins claire qu'on n'ose l'admettre, la distinction entre émotions permises et non permises empêchant sans doute de reconnaître le désir là où il naît.

Quoi qu'il en soit, Andrée prétendait avoir trouvé dans ses amitiés féminines une sorte de bien-être et de calme, ou de stimulation exaltante. Il était si facile de s'aimer à travers un autre soi, sans avoir à craindre de se nier ou de se perdre, sans devoir se tenir à l'œil. Car le désir avait toujours quelque chose de déchirant, qui engendrait un sentiment de perte. Oh! elle n'était pas sans savoir que c'était justement cette déchirure qu'on prisait. Il fallait avoir l'impression de s'abîmer. Il fallait souffrir, annuler les différences pour que le désir s'accomplisse. C'était comme dans ce film de Resnais où, emmêlés sur la grandeur de l'écran, deux corps faisaient l'amour tandis qu'une femme murmurait en off: «Tu me tues, tu me fais du bien…» Andrée n'avait jamais oublié cette voix, entendue à dix-sept ou dix-huit ans. Et si elle n'avait pas saisi alors ce qui l'avait tant bouleversée dans cette douceur disant la violence, elle avait eu plus tard maintes fois envie de répéter les mêmes mots dans les mêmes circonstances.

Tout en parlant, Andrée buvait à grands coups. Ses yeux ne rencontraient jamais les miens, sans doute parce qu'elle se livrait trop, allait trop loin. Lorsque deux femmes se découvraient des affinités, les choses se passaient de façon bien différente, enchaînait-elle. Toutefois, elles devaient lutter contre de nombreux préjugés… Ainsi, trop souvent, quand elle semblait goûter la compagnie d'une autre femme, on lui faisait sentir qu'il y avait là quelque chose d'irrégulier, d'offensant. La réprobation était implicite, puisqu'elle n'était jamais basée que sur des suspicions. Mais alors pourquoi les amitiés masculines ne prêtaient-elles pas aussi à équivoque? Était-ce qu'elles avaient été marquées, de tout temps, du sceau de la franche camaraderie? Ou était-ce qu'entre femmes les corps s'affrontaient moins? Ou était-ce que les hommes imposaient leurs propres fantasmes concernant l'homosexualité féminine, la plupart avouant être moins choqués par l'image de deux femmes engagées dans des rapports sexuels que par celle de deux hommes?… Il y avait tout de même là, a conclu Andrée, quelque chose d'injuste…

L'air absent, elle s'était interrompue. Puis, tenant son verre à la hauteur des yeux comme elle aurait fait d'un miroir, elle a déclaré que sa relation avec Michel ressemblait à celles qu'elle avait avec d'autres femmes. L'attrait physique s'étant émoussé petit à petit entre elle et lui, leur liaison avait pris l'aspect d'une amitié tendre et solide, à la différence de toutes ses autres aventures qui s'étaient terminées brusquement, sous le coup d'un caprice. Cela lui avait parfois causé de sérieux problèmes, comme lorsque ses amants avaient eu le malheur de s'éprendre d'elle. Depuis qu'elle habitait avec moi toutefois, ses entreprises amoureuses risquaient moins d'en venir là, puisqu'elle prévenait chaque fois ses amants qu'elle «ne vivait pas seule». Elle se servait de moi, a-t-elle reconnu, et elle s'en excusait. À quoi j'ai répliqué malaisément qu'il n'y avait pas de mal.

J'avais posé une seule question, savoir si Andrée avait parfois envie d'être amoureuse, et j'avais eu droit à l'histoire de sa vie… Sa réponse s'était égarée le temps d'un litre de vin, mais ses confidences m'avaient confirmée dans plusieurs impressions.

Si Andrée avait surtout parlé d'elle, je voyais plus clairement la place que j'occupais dans sa vie. Je savais

qu'au moment où nous nous étions rencontrées, au magasin de musique, deux de ses plus proches amies venaient
de quitter Montréal, l'une pour aller retrouver aux États-
Unis un Américain rencontré en Inde, l'autre pour aller
enseigner le journalisme à Dakar. Elle avait compté sur
moi pour les remplacer, sans même me connaître. M'invi-
tant chez elle sous une impulsion. Puis se faisant conciliante après s'être rendu compte de mon instabilité. Parce
que c'était sa façon à elle d'être fidèle. Respectant mon
silence et me disant même parfois de ne pas m'en faire,
que mes névroses faisaient assez bon ménage avec les
siennes…

Andrée avait tort. Nos névroses, pour reprendre ses mots, ne pouvaient pas faire bon ménage. Elles se sont accommodées les unes aux autres pendant près de cinq mois. Puis en quelques semaines seulement Andrée et moi avons couru à la catastrophe. Elle s'en est sans doute mieux tirée que moi, car la stupéfaction ne m'a toujours pas quittée…

Comme Andrée après son divorce, n'est-ce pas un peu dérisoire, je me suis loué un de ces petits studios où on ne se presse pas de mettre des rideaux aux fenêtres. Mais si je ne tiens pas à refaire un nid douillet pour moi toute seule, ce n'est pas parce que j'attends qu'on vienne me cueillir, me tirer des limbes. Ce studio me fait moins l'effet d'une salle d'attente que d'un terminus. Et ce qui m'arrivera demain est la moindre de mes préoccupations. Comme si tout pouvait s'arrêter maintenant.

Andrée a feint de ne pas saisir, jusqu'au dernier instant, ce qui me poussait à la quitter. Si elle m'a tenue pour responsable de notre échec, je n'ai rien fait pour la détromper. J'aurais pu essayer de tout lui expliquer, mais au point où nous en étions, je n'en voyais plus l'utilité, et d'ailleurs le courage m'aurait manqué. Les mensonges puis la mort de Paul, les insinuations de Lemire, elle en a constaté les effets les plus grossiers, sans pouvoir apprécier la force des tensions qui m'habitaient, qui altéraient ma personne tout entière.

Si elle a eu le loisir de m'observer, de prendre la mesure de mes bizarreries, elle ne se montrait pas moins heureuse de partager ma vie. Or il a suffi qu'un soir

Lemire se manifeste de nouveau, pour qu'apparaisse la première fissure.

Il devait être une heure du matin quand Andrée et moi avons poussé la porte d'un bar de l'ouest de la ville, où nous mettions les pieds pour la première fois. Il y avait une seule table de libre, à deux pas d'une plate-forme où un groupe de musiciens jouaient de vieux airs de jazz. Fidèles à nos habitudes, nous avons commandé une carafe de rouge, et bientôt nous nous laissions porter par la musique lancinante.

Un des musiciens ne m'était pas inconnu, mais les circonstances dans lesquelles j'avais pu le rencontrer m'échappaient. Affalée sur sa chaise, le menton sur la poitrine, Andrée avait fermé les yeux comme si elle avait été sur le point de s'assoupir. Toutefois ses doigts battaient le rythme autour de son verre, et un sourire mou lui relevait un coin de la bouche. Pendant ce temps je m'agitais, je scrutais la place en m'arrêtant sur chacune des têtes qui gravitaient autour de nous. Au coin du zinc, une femme et quatre hommes étaient engagés dans une conversation bruyante. Derrière eux, près du miroir du fond, trois types se tenaient debout dont l'un, qui avait le dos tourné, me rappelait quelqu'un. En y regardant bien, j'ai reconnu les deux qui me faisaient face. C'étaient eux qui avaient déposé des fleurs sur la tombe de Paul le jour de l'enterrement, eux qui avaient quitté les lieux avant la fin de la cérémonie sans avoir adressé la parole à personne. Je les remettais bien maintenant, surtout le plus jeune, et tandis que le troisième lui caressait la joue, je me suis souvenue que le musicien à la silhouette familière était aussi avec eux ce jour-là.

Sans m'en rendre compte, je m'étais mise à trembler. Le jeune blond, s'étant aperçu que je les épiais, puis m'ayant probablement reconnue à son tour, a signalé ma présence aux autres d'un coup de menton dans ma direction. Le troisième a cessé de le caresser et s'est retourné. C'était Lemire. Ses yeux d'abord ont balayé mon voisinage dans un rapide mouvement d'aller-retour, comme s'ils n'y voyaient rien, refusaient d'y voir. Puis ils ont croisé les miens. Piégé, Lemire m'a de nouveau montré les talons, avec une lenteur forcée. Ayant glissé une main sous sa ceinture, il a porté son verre à ses lèvres et feint l'indifférence. Mais je voyais dans le visage des autres, comme dans une glace, qu'il était en désarroi. Ceux-là l'interrogeaient du regard, l'air de ne pas comprendre ce qui le troublait à ce point.

Secouant Andrée de sa léthargie, je lui ai dit que je trouvais cet endroit mortel. Je ne voulais pas précipiter notre départ et donner ainsi à Lemire l'impression qu'il me faisait fuir, mais je ne voulais pas rester là non plus.

Andrée a pris l'expression ahurie d'une dormeuse qui se fait tirer de son sommeil en pleine nuit, puis sans chercher à comprendre elle a vidé son verre. Nous nous étions levées, et elle s'apprêtait à me prendre par le bras pour sortir à mes côtés, lorsque je me suis dérobée avec un rien de brusquerie. Je ne souhaitais pas encourager les mauvaises plaisanteries de Lemire, ni ses coups de langue. Pourtant le geste d'Andrée avait été candide et spontané, banal même.

Je m'étais raidie contre un malheureux témoignage d'affection, et Andrée s'en était montrée surprise, puis offensée. Plus je regrettais de l'avoir écartée, plus j'en voulais à Lemire de m'avoir incitée à agir de la sorte.

Dans le taxi qui nous ramenait, Andrée a maugréé sans arrêt. Je n'avais pas l'air de savoir ce que je lui

imposais. Mais je ne devais pas m'imaginer qu'elle prenait plaisir à mes changements d'humeur. Elle en avait
assez de mes énigmes, de mes silences, et cette fois elle
s'attendait à des éclaircissements. Quelle raison avais-je
eue de la repousser comme ça? Décidément, mon incons-
tance la dépassait. En tout cas elle n'avait jamais été le
souffre-douleur de quiconque, et ce n'était pas aujour-
d'hui qu'elle allait s'y mettre…

J'étais désemparée. J'avais beau prétendre que
j'ignorais ce qui m'avait pris, la prier de me pardonner une
dernière fois, rien n'y faisait. Et plus je revoyais Lemire
caressant le jeune homme blond de l'enterrement, moins
j'étais capable de faire face aux reproches d'Andrée. Je
devais dire quelque chose toutefois et, sans prendre le
temps de réfléchir, j'ai avoué que j'avais vu au bar
quelqu'un que je connaissais. Il n'en fallait pas plus pour
qu'elle se déchaîne… C'était donc cela. J'avais eu peur
qu'on ne la voie à mon bras. Peur des racontars. C'était le
comble! Mais est-ce qu'on allait maintenant prendre la
répression sur soi? Se croire coupables de nos libertés
d'esprit, comme d'éternels enfants en passe d'être répri-
mandés? Mais si les gens étaient trop bornés en Amérique
du Nord pour accepter que deux femmes se tiennent par la
taille, il fallait soutenir hautement qu'ils avaient tort. Eh!
non. J'endossais leurs préjugés à la première occasion…

Aux yeux d'Andrée, j'avais renié la confiance et la
tendresse qu'il y avait entre nous, et elle était hors d'elle.
Recroquevillée dans un coin du taxi, cédant à la fatigue et
s'exagérant l'importance de mon geste, elle ne faisait rien
pour me cacher son ressentiment.

Dans mon esprit, Lemire continuait de frôler la joue
du jeune blond du revers de la main. Cette image, qui ne

me quittait plus, s'accompagnait de vagues intuitions. Toujours intriguée par l'impulsion qu'avait eue Lemire de me faire croire que j'étais responsable de la mort de Paul, j'avais la conviction d'approcher de la vérité. Ce n'était sûrement pas sans raison que Lemire, tout bon comédien qu'il était, avait paniqué en me voyant. J'avais découvert que le jeune blond ne lui était pas inconnu, loin de là, et cela m'inspirait des soupçons.

La tempe sur la vitre du taxi, Andrée regardait droit devant elle, résolue à ne pas desserrer les dents tant que je ne lui aurais pas fourni une explication acceptable. C'en était trop. M'effondrant, je me suis mise à pleurer. Alors, auprès de moi, je l'ai sentie se radoucir.

Ayant glissé une main sous ma nuque, elle a attiré ma tête vers son épaule. Comme je ne lui offrais aucune résistance, elle a osé caresser mes cheveux. J'avais tort, disait-elle, de vouloir tout garder pour moi. Mon entêtement à ne rien révéler de mon passé, des circonstances de la mort de Paul, ne pouvait être qu'une source de malentendus et de tensions. Notre amitié s'en ressentait déjà, et y trouverait éventuellement ses limites. Elle en avait plein les bottes des fantômes que je faisais surgir entre elle et moi. Si je ne changeais pas d'attitude, elle allait finir par décider que je n'existais pas plus qu'eux…

Sa voix était aussi ferme que délicate, Andrée s'adressant à moi sur un ton de douce réprimande. Je me remettais, mais en même temps j'éprouvais un malaise à sentir contre ma joue le contour osseux et frais de son épaule, contre mon bras la rondeur moelleuse de son sein. Le mouvement câlin de sa main sur mes cheveux soudain me devenait étranger, comme si elle en avait caressé une autre ou que j'avais été observée. D'abord j'avais vu

Lemire avec le jeune blond, maintenant c'était lui qui me voyait avec Andrée. Son visage camus était collé sur la vitre du taxi, bien que nous traversions la ville à toute allure.

Les jours suivants, Andrée a fait preuve d'un esprit de froide conciliation. Elle était prête à entendre mes confidences, à m'aider comme elle disait, mais il était clair que plus je me taisais, plus son ressentiment grandissait. En apparence nos rapports étaient inchangés, car nous avions l'une pour l'autre les mêmes égards. Or cela ne satisfaisait plus Andrée. Chaque matin, lorsqu'elle versait le café, elle avait l'air de me demander si je m'étais ravisée ou si j'étais en meilleure disposition, comme si de ma réponse allait dépendre son attitude pour le reste de la journée. Mes semaines étaient comptées, et si je ne m'amendais pas, elle allait tout simplement me congédier. Il en allait de notre intimité, qu'elle s'efforçait de préserver et qu'elle me reprochait de vouloir saboter. Toutefois, si sa tolérance invitait à l'épanchement, il y avait autre chose qui m'éloignait d'elle.

En fait, Andrée était trop libre. Il y avait en elle une impudence, un amoralisme achevé, une conscience audacieuse jusqu'à la témérité, qui m'avaient fascinée au début mais qui commençaient à m'inquiéter. Marchant sur ses propres craintes, ne faisant preuve envers elle-même d'aucune indulgence, elle semblait résolument poursuivre sa vérité et repousser les limites de ses besoins, quelles que puissent être les conséquences. La clémence, c'était pour les autres, pas pour elle. Après sa séparation, elle s'était donné une nouvelle identité, basée sur l'acceptation franche et dure de chacune des facettes de sa personne. Ses valeurs en avaient été renversées, l'éventail de ses possibilités s'en était trouvé élargi, le tout au prix de conflits intérieurs qu'elle avait eu un mal fou à résoudre... Et Andrée surestimait mes forces, si elle s'attendait à ce que j'entreprenne une démarche semblable.

Je me punissais moi-même, disait-elle. Je ne faisais que resserrer l'étau en refusant de voir la réalité en face. Et après?... Si je préférais, moi, ne pas la voir en face? Mais Andrée ne comprenait pas ce que je lui criais comme dans un film muet, où on n'aurait vu de l'héroïne que les yeux béants et le visage éploré: ma confusion était déjà bien assez grande, et j'avais peur simplement de penser, plus encore de me mettre à penser comme elle.

Pourtant, j'aurais voulu m'abandonner à ces émotions que je ne finissais plus de réprimer. Mais si je souffrais de ne pas m'expliquer, si j'étais travaillée par une honte sourde et déplacée, je craignais davantage de m'exposer aux bienveillances d'Andrée. Me sachant vulnérable, je ne voulais pas que le désordre devienne la règle.

Assise dans un fauteuil, le menton appuyé sur les genoux et les talons retenus au bord du siège, Andrée m'observait. Elle avait fait tourner un nouveau disque qu'elle n'écoutait pas. Une fois de plus elle cherchait à me signifier que mon silence lui pesait, tandis que moi, je ne pouvais me défendre de penser à Lemire.

Depuis que je l'avais aperçu dans ce bar, je me perdais en conjectures sur lui, et surtout sur la façon dont il s'était comporté avec moi après la mort de Paul.

J'avais souvent entendu dire que Lemire ne fréquentait que de très belles femmes, qui lui tombaient dans les bras comme une pluie d'olives quand on secoue l'olivier et avec lesquelles il ne s'affichait jamais plus de deux ou trois fois, ce qui lui valait l'envie ou l'admiration de bien des connaissances. Mais tandis qu'on jalousait Lemire, on ne se demandait pas pourquoi il ne s'attachait à aucune femme, comme si cela avait été sa force, son privilège. J'avais pour ma part une opinion très différente à son sujet, croyant qu'il n'avait pas le choix, était en réalité incapable d'une relation amoureuse. Son ascendant sur un certain type de femmes ne me trompait pas: je n'y voyais qu'une faiblesse camouflée, comme s'il avait caché un corps trop maigre sous une profusion de vêtements, chacun de ses nouveaux succès n'étant que l'enveloppe d'une nouvelle défaite.

À présent, je mûrissais d'autres pensées. Ses apparitions en public avec des femmes plus frappantes les unes que les autres n'étaient peut-être qu'une façon de parader, mais si elles lui servaient aussi de couverture? D'ailleurs, n'était-il pas reconnu que les homosexuels trouvaient inspirante la compagnie de jolies femmes? J'allais peut-être trop loin, j'accordais peut-être trop d'importance à une seule circonstance, mais pour la première fois ce soir-là j'avais vu Lemire faire un geste affectueux. Dans d'autres conditions sa vie privée m'aurait laissée froide, et je ne me serais pas donné la peine de faire une enquête. Mais il y avait Paul, et le jeune blond. Mais il y avait le flou que les insinuations de Lemire avaient créé autour de l'accident. Et il y avait le désarroi trop sincère de ce dernier, lorsque nos regards s'étaient croisés dans ce bar.

Songeant au pouvoir de persuasion de Lemire, à la manière dont il remettait en question toutes lois, toutes évidences, à coup de traits aussi brillants que justes, vous donnant à penser que vous étiez un être soumis, sans envergure, incapable de reconnaître vos propres instincts parce qu'on vous les avait coupés à ras, songeant aussi à la fascination qu'il exerçait sur Paul, puis à ses caresses presque timides dans ce bar, je ne pouvais me retenir de présumer qu'il était à l'origine du renversement de ma vie, plus encore en était le fauteur. Et si Lemire avait incité Paul à tenter une nouvelle expérience, parvenant à libérer petit à petit en lui des fantasmes d'homosexualité? Sans prévoir à quel point une telle incartade allait l'ébranler? Pour Lemire, cela n'avait peut-être été qu'un défi anodin, aux conséquences nécessairement négligeables, car un autre que Paul aurait pu en sortir indemne, soit inchangé ou plus éclairé sur la nature de ses propres désirs. Mais Paul n'était pas fait pour pareille exploration, et Lemire aurait dû le pressentir.

En supposant qu'il ait réussi à prouver le suicide, se pouvait-il qu'il se soit jugé responsable? Et que, cherchant à se déculpabiliser, il ait tenté de mettre sur mon compte la conscience malheureuse de Paul? Même sans preuve tangible, il avait peut-être succombé à ses propres doutes et essayé de se blanchir? Avant qu'on ne découvre la vérité? Était-ce là la cause de sa détresse soudaine, lorsqu'il s'était aperçu que j'étais tout près à les observer, lui et le jeune blond?

Je ne savais pas si mon interprétation se tenait, mais j'éprouvais la nervosité exaltante que suscite parfois la découverte d'une vérité.

Lemire me faisait bien un peu pitié, qui n'en avait pas fini avec les remords: la réaction de Paul avait été extrême, désespérée, et Lemire ne l'avait ni anticipée ni prévenue. Cependant ma pitié pour lui était sans compassion: il pouvait bien s'arranger tout seul avec son cas de conscience.

Le menton toujours sur les genoux, Andrée me considérait du coin de l'œil, et je feignais de ne pas la voir. Le disque avait recommencé de tourner une troisième fois, mais ni elle ni moi n'y prêtions attention. Jamais le silence n'avait été aussi lourd entre nous, comme si une explosion avait menacé. Andrée s'était attachée à moi en cherchant à gagner ma confiance, à avoir raison de mes réticences, mais son indulgence tirait à sa fin.

Andrée ne souhaitant quand même pas me chasser de sa vie, et moi ne pouvant ni ne voulant répondre à ses attentes, j'aurais peut-être dû par souci d'honnêteté la quitter à ce moment-là. Andrée, qui ne soupçonnait pas mes terribles tentations de tout lui raconter de *a* à *z,* me taxait de mauvaise volonté. Mais moins je parlais, moins je me sentais le courage de parler, comme si c'était

l'histoire du monde qu'elle m'avait demandé de refaire.
En fait, la seule pensée des détails qu'il m'aurait fallu évo-
quer et des anxiétés qu'il m'aurait fallu raviver me tournait le cœur, suffisait à me museler.

Et il y avait plus encore, car je m'étais mise à redouter Andrée presque autant que Lemire.

À une époque où j'aspirais à ne plus rien ressentir, je
m'étais remise tranquillement à éprouver du plaisir, à
m'accrocher aux heures qui passaient. Puis, ayant discerné
chez Andrée une complaisance dans le désordre, une
volonté de dérèglement ou un culte de la confusion qui me
rappelaient trop Lemire, je m'étais refusée à ses familiarités. Toutefois j'étais encore sensible à sa présence et,
ignorant si mes intuitions à son égard étaient fondées, j'ai
décidé de clarifier la situation une fois pour toutes, en lui
montrant que j'étais une femme banale. Et fière de l'être…
Évidemment, j'aurais pu me contenter d'une mise au point,
mais comme elle ne me croyait plus sur parole, interprétait
même à l'envers tout ce que j'avançais («Tu dis cela pour
te défendre…»), elle aurait pu tout aussi bien déclarer que
j'inventais des fables, pour m'esquiver encore ou enrober
mes silences. Non, ce dont j'avais besoin, c'était de faits
qui parleraient d'eux-mêmes.

Dans un café du centre-ville, j'étais assise au comptoir avec Andrée, lorsqu'un type a pris place à mes côtés. Nous ayant considérées un moment dans le miroir d'en face, il a lié conversation. L'air d'un entrepreneur en vacances dans son blue jean et son pull à col roulé, qui épousait les courbes de ses épaules, de sa poitrine, il portait au poignet une gourmette d'or et à la main un cabochon. Ses joues fraîchement rasées exhalaient une odeur d'eau de toilette, dressant entre nous le souvenir de mon père, car pour moi toutes les eaux de toilette ont le parfum du passé. À la manière d'une jeune fille en mal d'aventures, je simulais l'enthousiasme, réagissais à ses remarques comme à des révélations. («Ah oui, de l'équitation? Ah bon! dans les Cantons-de-l'Est? Oui, c'est vrai que la ville finit par être étouffante. Un cheval à vous? Ah bon…») Une oie blanche. Je me conduisais comme une oie blanche.

Andrée n'y comprenait rien. Je l'avais d'abord intriguée, puis elle avait fini par m'observer avec suspicion, le coude allongé sur le comptoir et la joue au creux de la main. Au début, Émile lui avait accordé autant d'attention qu'à moi, mais après avoir constaté son manque d'intérêt, il l'avait complètement oubliée.

Son visage était lisse, rose de santé, mais des cheveux grisonnants et des rides creuses au coin des yeux dénonçaient la cinquantaine. Son âge m'était égal, et si ses allures d'homme d'affaires me déplaisaient, elles avaient bêtement l'heur de me rassurer.

J'ai appris qu'il était importateur, divorcé depuis dix ans et heureux de son état, père d'un enfant qui, avait-il remarqué complaisamment, devait avoir à peu près mon âge. D'abord il avait cru qu'un grand amour viendrait le cueillir aussitôt son mariage dissous, puis il s'était fait à la vie de célibataire… Tandis qu'Émile parlait sans réserve, comme ces gens pressés de dresser leur propre portrait, je m'efforçais de ne pas penser à Andrée, ni à l'instant où je partirais sans elle. Car j'étais résolue à passer la nuit avec Émile.

Après sa troisième tournée, celui-là n'avait plus rien dit que sur le ton de la confidence, ce qui avait eu pour effet d'isoler Andrée qui, penchée sur son verre, mâchonnait consciencieusement une paille. J'avais craint un moment qu'elle ne m'abandonne à Émile, mais plus la soirée avançait, plus il était clair qu'elle restait là par une sorte de curiosité endurcie, pour voir ce qui allait se passer.

Finalement, jetant un coup d'œil sur sa montre et posant sa main sur la mienne, Émile m'a demandé s'il pouvait me raccompagner. L'offre n'était pas aussi franche que je l'aurais souhaité, mais j'ai quand même répondu que je n'habitais pas seule et que je pouvais, moi, le reconduire chez lui. Surpris de mon sans-gêne, Émile s'est levé en souriant gauchement à Andrée et en haussant les épaules, comme pour m'excuser.

Évitant le regard d'Andrée et lui disant simplement que je la reverrais le lendemain, j'ai enfilé mon manteau. Elle n'a pas bronché. Avant de franchir la porte, j'ai eu une hésitation et me suis retournée. Le nez au fond de son verre, le dos arrondi comme un chat, Andrée hochait machinalement la tête d'avant en arrière. Si elle se demandait à quoi je jouais, elle avait renoncé à s'en faire.

Dans la voiture, j'étais figée par le froid et par l'appréhension. J'espérais qu'Émile saurait être aussi délicat que Michel, juste avant la mort de Paul. Rien ne m'obligeait encore à le suivre chez lui, mais j'avais besoin d'en arriver là. Les vitres étaient couvertes de frimas, et du bout des ongles j'en grattais nerveusement la surface blanche. Lorsque Émile a mis la main sur ma cuisse, je ne lui ai rendu ni son sourire ni son regard. Sa voiture prenait pour moi l'aspect d'un ouvrage de glace, dans lequel on trouverait au matin deux statues givrées.

Émile habitait un appartement avec vue sur le fleuve, dans un immeuble moderne. Devant le vitrage panoramique, la main sur mon sac en bandoulière, je voyais à ma droite les lumières de la ville, et au-delà du fleuve les scintillements de la banlieue. Du haut du trentième étage, la rue prenait des dimensions ridicules, sans rapport avec moi qui étais suspendue dans les airs, les jambes mal assurées sur une moquette spongieuse.

Émile ayant déposé un plateau sur une table basse, je me suis assise sur le bout du canapé. Il m'a tendu un verre, puis a pris place auprès de moi, en m'enveloppant aussitôt dans le creux de son épaule.

Incapable de me laisser distraire de moi-même, je tâchais de me persuader que ce qui allait venir avait peu d'importance. Émile passait lentement la main entre mes cuisses, retroussant ma jupe et murmurant que j'étais belle, qu'il avait envie de moi, et quoi encore, et j'étais tentée de me couler entre ses mains, de fermer les yeux et de me laisser cajoler, mais quelque chose en moi s'y refusait. La tête séparée du reste du corps, je considérais mes jambes, mes bras et mes seins comme s'ils avaient appartenu à une autre, j'avais l'impression de violer l'intimité d'un couple qui m'était totalement étranger. Quand je réussissais à fermer les paupières, j'éprouvais que les gestes d'Émile m'étaient familiers. Je savais quel bien-être ils auraient dû me donner, mais je restais au seuil de cette conscience, tendue vers un plaisir qui ne viendrait pas.

Émile, pour sa part, semblait avoir toute la nuit et tout le jour devant lui.

Pendant que je m'apprêtais à partir le lendemain matin, il m'a demandé de dessous les draps, les mains sous la nuque, pourquoi j'étais venue.

Entre les lamelles du store vénitien qui couvraient la presque totalité du mur, le soleil pénétrait dans la chambre par tranches obliques. Je lui ai répondu que je l'ignorais, puis je l'ai prié de m'en excuser. Non que sa question m'ait été adressée comme un reproche, mais je ressentais alors un peu de tristesse, j'avais mauvaise conscience.

Ce qui était arrivé, je l'avais provoqué. Et plutôt que d'en vouloir à Émile, comme j'avais incliné à le faire en entrant chez lui, je me comptais chanceuse de ne pas être tombée sur un type arrogant et intolérant, qui aurait réclamé son compte.

Ayant passé mon manteau, je me suis arrêtée dans l'ouverture de la porte pour jeter un dernier regard sur la chambre, sur le lit qui aurait pu loger une famille, sur la fine poussière aérienne que découpaient les rayons du soleil et les lames des stores.

Alors, il m'a demandé si j'allais revenir.

J'ai d'abord cru qu'il se moquait de moi, mais à la façon dont il guettait ma réaction, j'ai compris qu'il était sérieux. Stupéfaite, je suis restée là encore un peu, la main sur la poignée de la porte. Puis de la tête j'ai fait signe que non.

Au cas où je changerais d'idée, a-t-il dit, il y avait un téléphone sur le guéridon du vestibule: je pouvais toujours en noter le numéro… Ayant secoué la tête une dernière fois, je me suis éloignée.

J'ai traversé l'entrée les yeux rivés sur l'appareil blanc. Même si je n'avais pas l'intention d'en prendre le numéro, j'ai ralenti pour le lire. Chose étrange, je le revois encore aussi clairement que si je l'avais là, sous les yeux.

En rentrant à la maison, j'ai trouvé Andrée dans ma salle de musique. Elle pianotait, de deux doigts seulement, des airs comme ceux qu'on apprend aux enfants sur les pianos miniatures. Dans sa chemise de nuit, les cheveux défaits et les pieds nus, elle feignait de ne pas m'avoir entendue.

Puis, les mains toujours sur le clavier, elle s'est retournée d'un bloc et m'a considérée des pieds à la tête, comme pour s'assurer que rien de fâcheux ne m'était arrivé. L'examen a été rapide, aussi inquiet qu'embarrassé.

Faisant enfin un effort, elle s'est informée si tout s'était bien passé. Je lui ai dit que oui, puis j'ai pris le chemin de la cuisine.

Je me suis versé une tasse de café et, pendant que la baignoire se remplissait, j'ai feuilleté le journal qu'Andrée ne semblait pas même avoir déplié. Appuyée maintenant contre la table-évier, les bras croisés et l'air interrogateur, elle semblait s'être tourmentée pour moi toute la nuit. Prise à mon propre théâtre, j'affectais de savourer une victoire personnelle. («Tu as vu, Andrée? Tu as bien vu?…») En réalité, je me détestais d'agir de la sorte, me sentais aussi

injuste envers elle qu'envers Émile. J'avais l'impression de
m'appliquer à détruire quiconque m'approchait, quiconque
aurait pu m'apporter bien-être ou réconfort, comme si
j'avais dû infliger à droite et à gauche des souffrances au
moins égales à la mienne. J'avais beau être consciente de
mes manœuvres, cela n'arrangeait rien. Au contraire. Plus
je jugeais mon attitude condamnable, plus je me durcissais.
Après tout, ce n'était pas ma faute si les gens s'entêtaient à
m'aimer alors que je ne le méritais pas. Et c'était bien de
cela qu'il s'agissait, car je me savais insupportable et ne
concevais pas qu'on me témoigne de l'affection, ni même
qu'on m'excuse. Comme une enfant malheureuse, je me
remettais de ma peine en jurant de ne jamais me laisser consoler. De plus en plus amère, j'aurais voulu qu'on me
repousse pour que mon amertume trouve de nouvelles raisons. Mais si je souhaitais qu'on ne s'occupe plus de moi,
je craignais aussi qu'on ne me délaisse, je choisissais de
m'isoler avant qu'on ne m'isole. La boucle se fermait ainsi,
et d'une façon ou d'une autre tout était perdu d'avance.

Michel nous a rendu visite en début d'après-midi,
mais il n'est resté qu'un moment. Andrée lui a offert un
café, et pendant qu'ils discutaient à la cuisine, j'ai mis de
l'ordre ailleurs dans l'appartement. À quelques reprises
j'ai entendu mon nom, et j'en ai été irritée.

Andrée et moi avions quelque peu négligé Michel
qui, plutôt que de se plaindre, en avait profité pour répondre à l'appel du large. Mais depuis que mes rapports avec
Andrée avaient commencé à se détériorer, elle s'était rapprochée de lui.

Toujours quand elle montait au premier, j'imaginais
que c'était pour parler de moi. Mais Michel n'était pas

plus qu'elle en position de me comprendre, et d'ailleurs toute cette histoire devait l'embêter. Rebuté par les situations compliquées, il n'allait jamais jusqu'à se croire responsable des problèmes des autres, ni jusqu'à imposer son aide à qui n'en voulait pas. Le plus souvent, c'était avec une générosité détachée qu'il prêtait son appui. S'il écoutait les doléances d'Andrée, il était loin de s'immiscer dans nos affaires, s'étant déjà frotté à ma discrétion jalouse. Je ne faisais rien pour me concilier ses attentions, il ne faisait rien pour se concilier les miennes, et c'était bien ainsi.

Michel parti, Andrée a essayé à quelques reprises d'engager la conversation, puis s'est enquise si j'avais l'intention de revoir Émile. Sur un ton que je voulais neutre, j'ai répondu que cela n'était pas impossible, mais Andrée n'a pas été dupe.

Elle m'a demandé pourquoi je persistais à mentir, ce qui m'a fait lui demander à mon tour pourquoi elle posait des questions si elle décidait des réponses. Je donnais dans le cliché, mais c'était tout ce que j'avais pu trouver.

J'avais beau l'exaspérer, Andrée ne semblait pas prête à abandonner la partie. Cherchant une façon de m'atteindre, elle a tourné autour de moi pendant de longues secondes, puis a repoussé une chaise avec fracas. Elle en avait assez de mes enfantillages, a-t-elle lancé. Je nous faisais du tort à toutes les deux. Et elle entendait être éclairée sur ce que j'avais tant à lui reprocher. D'ailleurs, elle n'avait aucun intérêt à partager son appartement avec quelqu'un qui la dédaignait, pis encore la contrôlait subtilement.

Élevant aussi la voix, j'ai rétorqué d'un seul trait qu'elle n'avait qu'à me mettre à la porte. Rien ne l'obligeait

à me tolérer plus longtemps, et elle n'avait qu'un mot à dire
pour que je plie bagage… La dispute classique. Toutefois,
ma réaction avait pris Andrée au dépourvu. Dépitée, regret-
tant ses dernières paroles, elle a tâché de se ressaisir avant
de reconnaître que ce n'était pas ce qu'elle avait voulu dire.
Pour ma part, je touchais mon but secret. Car c'était bien un
affrontement que j'avais souhaité, mis en œuvre et extor-
qué, par tous les moyens dont j'étais capable.

Sur le bout d'une chaise, les coudes sur la table et le
front dans les mains, Andrée pleurait. Au cours des derniers jours la tension avait monté et, comme si chaque
geste avait pu être un indice, chaque mot un signal, nous
nous étions épiées sans relâche, sautant aux conclusions,
puis prenant sur nous-mêmes. Dans sa chemise de nuit de
flanelle, les épaules maintenant couvertes d'un grand
châle de soie, Andrée se laissait aller pour la première
fois. La ligne de son cou était longue, délicate, et sous la
lumière oblique du plafonnier, ses cheveux absorbaient
toute la clarté de la pièce. Déconcertée, je ne savais ni que
faire ni que dire. J'avais envie d'aller lui demander par-
don, en la serrant contre moi pour l'apaiser. Mais j'étais
figée sur place. À ce moment précis j'aimais Andrée
autant qu'une femme peut en aimer une autre, cependant
quelque chose en moi continuait de la redouter, peut-être
aussi de la détester. Honteuse de jouer avec ses sentiments, j'étais fière d'autre part de savoir me défendre.

Le temps passant, je me suis sentie faiblir. Après
avoir posé sur son épaule une main qu'elle n'a pas repous-
sée, j'ai pris sa tête entre mes paumes pour la presser sur
moi. Bientôt la chaleur de son visage a percé mon chemisier, et tandis qu'Andrée enroulait les bras autour de ma
taille, je me suis prise à la bercer imperceptiblement.

Alors une autre scène m'est remontée à la mémoire, presque en tout point semblable. Elle avait eu lieu une quinzaine de jours avant la mort de Paul, le soir où je lui avais révélé que j'étais au courant de sa deuxième vie. S'étant écroulé dans un fauteuil, Paul avait pleuré sur ses genoux. Lorsque j'avais mis les bras autour de ses épaules, ramassant tout ce qu'il me restait d'affection pour lui, sa tête s'était blottie contre mon estomac, et ses bras s'étaient cramponnés à ma taille…

À ce souvenir, j'ai écarté Andrée. J'étais saisie. J'avais beau me dire que le parallèle était gratuit, je concevais que la raison n'avait souvent que des rapports ténus avec la vérité, nous permettant d'en faire le tour plutôt que de la regarder en face.

Calée maintenant dans un fauteuil, la tête renversée sur le dossier, je fixais le plafond en repensant à la crise qui nous avait terrassés ce soir-là, Paul et moi. Cette querelle, j'avais tout fait pour l'éviter, à l'opposé de celle qui venait de se produire. Puisque j'avais commencé à me méfier d'Andrée après avoir aperçu Lemire avec le jeune blond, n'avais-je donc fait que transposer en elle l'impensable disposition de Paul à la déviance? Et moi qui croyais avoir accepté son homosexualité de façon passablement libérale, en étais-je obsédée au point de douter de quiconque me côtoyait, en me figurant que si j'avais été trahie une première fois, je pouvais l'être encore?

Si tout était affaire d'imagination, de délire bénin, n'avais-je pas qu'à soumettre à Andrée mes intuitions même les plus vagues, pour en avoir le cœur net?

Et redressant la tête, afin d'observer surtout sa réaction, je lui ai demandé si elle avait déjà aimé une femme. À peine la question m'avait-elle échappé que j'aurais

voulu la rattraper. L'air étonné, Andrée s'est d'abord contentée de hausser les épaules. Puis s'étant retournée sens
devant derrière sur sa chaise, elle m'a considérée un
moment, les bras croisés sur le dossier et le menton sur les
poignets. Elle avait manifestement une réponse sur les
lèvres, qu'elle se retenait de me donner. Finalement, la
voix posée et lasse comme si plus rien n'avait pu l'affec-
ter, elle a dit qu'elle n'avait jamais été amoureuse d'une
autre femme, mais que si ça lui était arrivé, elle ne s'en
serait pas défendue.

J'avais souhaité qu'Andrée me rassure, mais elle s'en
était bien gardée. Ce début de réponse lui ressemblait
d'ailleurs tout à fait, qui était digne de son penchant pour
l'ambiguïté, de sa tendance à nourrir les doutes plus que
les certitudes.

Après une courte pause tactique, Andrée a poursuivi.
Elle éprouvait parfois, envers certaines femmes, une attirance physique n'ayant à sa connaissance rien de sexuel.
Plusieurs hommes lui plaisaient de la même façon, qui
exerçaient sur elle un attrait sans lui inspirer de désir. Leur
compagnie lui était à la fois agréable et stimulante, si je
voyais un peu… Généralement, dans ces cas-là, la séduction était à la fois physique et intellectuelle, ce qui était à
son avis le point de départ des plus sûres amitiés.

J'étais perplexe, et cela devait se voir. Alors elle a
ajouté qu'il était parfois difficile, bien sûr, de discerner où
finissait l'attraction et où commençait le désir, mais qu'il
ne fallait surtout pas se figurer que tout ce qui était physique ne pouvait être que sexuel, ni que tout ce qui n'était
pas sexuel ne pouvait pas être physique. Les gens, disait
Andrée, tendaient à désincarner leurs amitiés. Pâtissant de
la vieille séparation du corps et de l'esprit, ils décidaient

que ce qui était physique était inadmissible hors des relations amoureuses. C'était bête, d'autant plus bête qu'ils se
privaient ainsi d'un minimum de tendresse auquel ils
avaient droit.

La voix d'Andrée avait pris un ton vaguement accu-
sateur. Plutôt que d'essayer de détourner mes soupçons,
elle défendait des idées pouvant justifier les comporte-
ments les plus équivoques. Comme si elle avait conclu
impatiemment à mon étroitesse d'esprit, elle ne tentait ni
d'endormir ma méfiance ni de m'amadouer.

Silencieuse, je ne pouvais m'empêcher de penser
qu'elle avait raison. Andrée était perspicace et sensée,
mais plus je la saisissais, moins j'étais tranquille.

Elle était à présent plus conciliante, presque bienveillante. À mon insu les rôles s'étaient progressivement
inversés: ma question s'était retournée contre moi en prenant
aux yeux d'Andrée l'aspect d'un aveu voilé. Pareils désirs
n'avaient rien d'embarrassant ni de tragique, enchaînait-elle.
Et on ne gagnait rien à les étouffer qu'une belle névrose
enrubannée…

Me raidissant, j'ai écouté tout ce qu'elle avait à dire.
Si ce qu'elle supposait de moi m'irritait, ce qu'elle était
prête à accepter sans sourciller m'irritait encore davantage.

Je m'étais mise à sourire avec un brin de condescen-
dance, pour lui faire savoir que ce qu'elle racontait ne me
concernait pas le moins du monde, lorsqu'elle s'est interrompue d'un coup sec. C'était à son tour d'être ulcérée.
N'étant pas au courant des circonstances de la mort de
Paul, elle ne se doutait pas du douloureux à-propos de ses
réflexions. La justesse de ses vues, mêlée à trop de dispositions favorables et de compassion, me forçait dans mes
retranchements.

Andrée s'est levée et est allée s'enfermer dans sa chambre. Elle en est ressortie une dizaine de minutes plus tard, habillée d'un jean noir et d'un pull de laine rouge. Son blouson enfilé, elle a quitté l'appartement en claquant la porte.

Ce soir-là j'ai attendu Andrée jusqu'à minuit. Puis, le sommeil ne me venant pas, je me suis préparée à sortir. Je ne savais plus que penser de la conversation que j'avais eue avec elle, mais j'en étais encore exacerbée. Bien sûr que sa présence m'était plaisante, plus encore me magnétisait et m'était un réconfort physique. Mais Andrée était allée trop loin, et puis elle avait tort. Tout un chacun ne pouvait cultiver un joyeux ou un affreux désordre sans dommage pour soi et pour les autres. Et on n'était pas là pour se faire du mal, n'est-ce pas, se torturer jusque dans nos petits bonheurs.

J'ai entrepris machinalement une tournée de nos bars habituels: appréhendant de la rencontrer, j'étais quand même à sa recherche. Après avoir fait, des yeux, le tour de chaque endroit, j'ai éprouvé un réel soulagement tout en souffrant de ne pas l'y trouver. Andrée me renvoyait de moi-même une image sans fard, pourtant c'était elle que j'avais rabrouée en lui donnant à entendre que ses raisonnements ne m'intéressaient pas, qu'elle n'avait rien compris.

Vers trois heures du matin, je suis rentrée dans l'espoir qu'elle serait enfin de retour à la maison. Elle n'y était toujours pas.

Quelques jours ont passé durant lesquels Andrée n'a pas donné signe de vie. Lorsqu'elle a enfin réapparu, elle ne m'a pas caché que ma personne l'importunait. S'étant

empressée de prendre un bain et de se changer, elle a pré-
texté un rendez-vous avec Michel et est repartie.

À son retour, elle s'est retirée dans sa chambre. Une
ou deux heures plus tard elle s'assoyait devant moi, dans
le salon. Incapable de soutenir mon regard, elle a laissé
courir ses yeux sur le plancher en disant qu'elle ne voyait
plus très bien pourquoi nous habitions ensemble. Elle en
avait assez de me voir me défiler ou m'aveugler, assez de
mes dissimulations. Si j'avais un compte à régler avec
mon passé, elle ne voulait pas en faire les frais. Elle avait
cru pouvoir m'aider, au lieu de cela elle se trouvait à se
débattre jour après jour, comme s'il y avait entre nous une
lutte à finir. Elle avait beau se creuser, elle ne voyait pas
comment elle en était arrivée là...

Moins d'une semaine plus tard j'avais quitté l'appartement d'Andrée.

Elle s'est crue responsable de mon départ, quand elle n'avait fait que m'en fournir l'occasion. À la première querelle, j'avais tourné le dos à nos conflits parfois trop obscurs, parfois trop ouverts.

Exaspérée par ses remontrances, qui redoublaient à haute voix celles que je me faisais à moi-même, j'ai été presque heureuse de la quitter. Plus d'une fois Andrée avait observé que les hommes ne m'intéressaient pas, me rebutaient même lorsqu'ils m'accostaient tant soit peu fervemment. Avec sa passion de la vérité, elle avait voulu mettre le doigt sur l'objet réel de mes peurs, et peut-être inversement de mes désirs, sans comprendre que je n'en avais rien à faire, que je n'aspirais qu'à une sorte de bien-être indifférent. Essayant à tout hasard de me donner bonne conscience, elle s'était obligée à formuler des réflexions qui avaient augmenté encore mes craintes. J'admets que quelque chose ne va pas (*«I know something's wrong with me»*), mais je ne sais plus si je redoute ce que je désire, ou si je désire ce que je redoute, ou si j'ai la fascination de mes dégoûts, de mes désenchantements. Le problème, c'est que je ne fais plus la différence entre peurs et désirs, entre désirs et attirances… Si Andrée m'était aussi agréable qu'elle m'inquiétait, était-ce que j'avais peur de son désordre, ou que je n'avais plus de désirs que pour mes propres peurs?… Je voulais ma vie ronde et lisse, mais à force d'en voir tant d'autres cultiver leurs ambivalences, se mettre en danger ou se détruire, j'ai perdu le goût de la chasse aux certitudes. Ce que j'ai appris enfant ne vaut plus rien, et je me demande même si le spectacle d'un homme caressant un autre homme heurterait encore ma délicatesse…

J'ai laissé toutes mes affaires chez Andrée, y compris mon piano, suggérant qu'elles pourraient toujours servir à une remplaçante. Cette libéralité m'a forcée à suspendre mes leçons de musique et, si je n'en suis pas vraiment désolée, j'éprouve des vides dans le déroulement de mes journées.

Sans doute plus démunie que jamais auparavant, je ne trompe le temps qu'en lisant des romans policiers. Empilés dans un coin de l'appartement, ceux que j'ai terminés forment déjà une colonne d'un demi-mètre de haut. Si je ne m'arrête pas, j'aurai bientôt épuisé la réserve du marchand de journaux et n'aurai plus qu'à passer aux romans illustrés.

Il m'arrive de sortir seule le soir, mais alors j'évite les bars où je serais susceptible de me buter à Andrée. Ayant écarté la possibilité d'une réconciliation, j'en éprouverais plus de peine que de plaisir. Bien qu'elle ignore où me trouver, j'imagine parfois qu'elle me rend visite. J'entends la sonnette de l'entrée, et elle est là derrière la porte, toute déliée dans son jean noir et son pull rouge. Le cœur battant, je m'empresse d'aller lui ouvrir, mais au moment où je désengage le pêne et tourne la poignée, l'illusion s'écroule.

Deux semaines. Et j'ai le sentiment que ma vie ne tient plus à rien, pas même à la curiosité d'identifier le meurtrier… Les romans policiers ont fait leur temps, et je n'ai plus le cœur d'en tourner les pages.

Le soir, assise dans mon lit, je me force à inscrire quelques notes de plus dans mon journal. Pas une seule fois je n'en ai relu les cahiers du début à la fin, faute de courage et de patience. J'y tiens pourtant comme à un autre moi, leurs pages noircies me semblant avoir plus de substance que je n'en aurai jamais de nouveau.

Quant à ce studio, il n'est peut-être pas très confortable, mais je n'aurais pu trouver d'enveloppe plus parfaite pour mes absences d'émotions.

Enfin, il s'est passé quelque chose.

Un matin, en me regardant dans la glace, j'ai eu l'impression que j'avais commencé à mourir. Mon visage était d'une pâleur incroyable, et des cernes bleus s'étaient creusés autour de mes yeux, qui me donnaient un air désespéré. Ayant eu peine à me reconnaître, comme si je m'étais vue pour la première fois depuis des années, j'ai été prise de panique. Après avoir fébrilement aligné tube de crème, rouge à lèvres, mascara, ombre à paupières et fard à joues sur l'appui de la fenêtre, je me suis installée en plein soleil pour me refaire le visage. À la fin, je ne tenais plus en place. Passant sans arrêt de mon miroir au spectacle de la rue, je me suis persuadée que je devais me sortir de là, donner des leçons de piano à domicile, trouver un emploi régulier ou voyager, n'importe quoi plutôt que de dépérir entre quatre murs, à l'insu du reste du monde. Croyant avoir épuisé toutes mes énergies, je ne comprenais pas d'où me venait ce deuxième souffle.

Une demi-heure plus tard j'étais dans un café, devant un journal déplié à la rubrique des petites annonces. Tandis que je parcourais des yeux les colonnes aux caractères minuscules, toujours la même conclusion s'imposait. J'étais une femme ridicule. Sans qualification, ni expérience, ni ambition. Sans automobile. Et mon premier prix de conservatoire n'impressionnerait personne.

En feuilletant le reste du journal, je suis tombée sur un article signé par une ancienne compagne avec qui j'avais participé à une série de concerts plusieurs années auparavant. Les chroniques musicales n'étaient pas légion dans les journaux à fort tirage, mais l'idée de travailler dans mon domaine me souriait, et j'étais prête à tenter ma chance. Quoi qu'il en résulte, les démarches allaient au moins m'occuper pendant quelques jours.

J'ai donc dressé une liste de quotidiens, hebdomadaires, périodiques publiant une chronique de disques ou de concerts, puis j'ai dû résister à la tentation de rentrer dormir. Épuisée par l'effort inhabituel que je venais de fournir, mais combattant mes vertiges, j'ai rédigé une demande d'emploi qui m'a semblé à la fin, c'était miracle, plus qu'un peu persuasive.

Au bout d'une quinzaine de jours, à mon grand étonnement, on m'engageait à l'essai en m'offrant ma première collaboration spéciale. Je devais couvrir un récital le soir même, et si mon compte rendu était jugé satisfaisant, on promettait de recourir à mes services au moins une fois par semaine. Sur le coup j'ai eu envie de refuser. Puis j'ai songé qu'au rythme d'un article par semaine je ne serais pas forcée de renoncer à ma solitude, et qu'en me pliant aux exigences d'un magazine je me sentirais peut-être moins détachée du réel, et de moi.

La salle de rédaction occupe le troisième étage d'un immeuble tout neuf. Dans son ambiance purifiée et bourdonnante de grand bureau climatisé, aux vitres scellées, des pans de mur bleu ou jaune vif n'arrivent pas à distraire de la blancheur désincarnée de l'éclairage, et de nombreuses plantes tropicales ne suffisent pas à adoucir les lignes austères du mobilier.

C'est là toutefois qu'au travers de la haie de palmiers qui sépare son bureau du mien je me suis liée d'amitié avec Anne.

Chroniqueuse littéraire depuis plusieurs années déjà, elle a cependant le même âge que moi. Lors de mes premières apparitions dans la salle de rédaction, il n'était pas rare qu'on nous confonde. Nous avons le même physique, les mêmes cheveux, la même démarche, et si elle ne portait pas de petites lunettes rondes, la ressemblance serait sûrement plus frappante encore.

Deux fois par semaine, je la trouve calée dans son fauteuil, les jambes allongées sur sa table de travail, absorbée dans un roman dont rien autour d'elle ne peut la distraire. Pourtant, lorsque j'arrive, elle ne manque jamais de lever les yeux. L'instant d'après elle s'amène un livre à la main, l'air ardent mais désinvolte. Avec tous les romans qu'elle doit engloutir, soupeser, tamiser, Anne me fait l'impression de vivre dans un monde à part, où la fiction ne serait pas à la remorque de la réalité, mais servirait plutôt à l'engrosser.

Au début elle me disait, par exemple, qu'il n'y avait que la littérature pour contourner aussi habilement et aussi obstinément les interdits dont sont frappés nos rêves, nos désirs, songeant sans doute aux romans pour liseurs instruits, mais pas aux romans-pulpe à l'américaine, ce qui lui valait de ma part un sourire d'indulgence. Sur un ton convaincu mais enjoué, comme pour atténuer la gravité du propos, elle me disait aussi que la littérature était nécessairement perverse, que la fiction était un luxe de la pensée apparenté à la luxure, un paradis de l'effraction, ni perdu ni enchanteur… Mais elle-même ne semblait pas moins enchantée, comme je lui en faisais parfois la remarque, de pouvoir vivre par procuration les perversions des autres… Lorsque j'ironisais ainsi, Anne ne se défendait qu'en souriant à son tour. Car, si elle se flattait d'être indocile, elle était au bout du compte une personne rangée, comme beaucoup d'intellectuels, admettant à part soi que ses subversions puissent n'être que littéraires.

Les premières fois qu'Anne s'est approchée de mon bureau, j'ai été intimidée. Puis, ayant compris qu'elle n'était pas d'une nature fouineuse, j'ai commencé à l'écouter avec plaisir lorsqu'elle me décrivait le dernier roman dont elle devait faire la critique, ou me lisait à haute voix les passages qu'elle y avait soulignés.

Je n'ai encore lu d'elle que quelques papiers, mais dans chacun son style se métamorphose pour mimer celui du roman commenté. D'un texte à l'autre, la différence est tellement marquée qu'on croirait avoir affaire à des chroniqueurs différents.

En réalité, ses critiques ne sont jamais que le prolongement ironique ou louangeux d'un roman, d'où leur façon empruntée. Le plus étonnant, c'est qu'elle n'adopte pas tout à fait un point de vue extérieur, s'attache à dénigrer en parodiant ou à approuver en imitant, comme un pasticheur. Anne appelle cela de la critique créatrice. Je n'y connais rien, mais je constate que ses comptes rendus n'émettent jamais de jugements transparents. Puisqu'elle ne fait que reproduire en les jouant (ou en se jouant d'eux) les ouvrages qu'elle devrait apprécier, son travail présente plus d'affinités avec la fiction qu'avec le commentaire.

Lorsqu'un jour je lui ai demandé pourquoi elle n'écrivait pas ses propres romans, elle m'a répondu sans hésitation, comme si elle avait déjà fait plusieurs fois le tour du sujet, qu'elle s'exposait bien assez comme ça et qu'elle préférait prendre prétexte du courage et du génie (ou du courage et de l'absence de génie) des autres pour satisfaire son besoin d'écrire. «Je n'écris que par autrui: par romanciers interposés», a-t-elle ajouté avec fierté, en précisant que c'était là «une citation d'André Gide, légèrement modifiée». Elle aimait mieux suivre un auteur et ses personnages dans leurs déboires que de s'abîmer dans les siens, chapitre après chapitre. Non que sa vie ait été tellement pénible jusque-là, mais même lorsqu'on se sentait heureux, écrire nous faisait voir ce bonheur-là comme une illusion… Les angoisses les mieux enfouies ressurgissaient sur la page, se glissaient comme des œufs au creux de chaque phrase et de chaque image. Et on risquait trop de découvrir qu'on n'était pas celui ou celle qu'on croyait. D'abord dans l'intimité de l'écriture, ensuite dans l'opinion des lecteurs…

Peu à peu, sa voix pleine d'assurance était devenue embarrassée, presque accablée. Anne était, au fond, un être de contradictions. Comme c'était moi qui avais déclenché ses sombres réflexions, j'ai tâché de réparer les dégâts en revenant à la manière généralement impersonnelle de nos conversations. Le sujet était clos, et devait le rester par la suite.

Plus tard, ce jour-là, Anne a offert de m'accompagner à un concert auquel je devais assister en soirée. Comme nos rapports avaient été jusque-là très réservés, j'ai acquiescé sans craindre une tentative d'intrusion dans ma vie privée. Cette première sortie ne devait pas être la dernière.

Bientôt je me suis laissé entraîner dans des lancements de livres, conférences de presse et séances de lecture, prenant l'habitude d'attendre les invitations et me découvrant un goût pour ce type de divertissements.

Toutefois, une sorte de pudeur persiste entre nous. Libre dans ses manières, dans son langage, Anne se fait circonspecte dès qu'elle est avec moi, comme si elle avait compris qu'elle devait garder ses distances. Je sais pourtant qu'elle m'a prise en affection et que la curiosité la ronge. Il faut voir la façon dont elle m'observe parfois…

Au travail, je n'ai de contacts avec personne d'autre qu'elle. D'ailleurs, les quelques journalistes qui m'ont approchée se sont vite rendu compte que je n'étais pas du genre à me laisser accoster. Je crois y être allée un peu raide, Anne et moi étant devenues suspectes à leurs yeux. Mécontents d'avoir été repoussés, ils se sont rabattus vraisemblablement sur l'unique hypothèse qui ne remettait pas en question leur pouvoir de séduction… Anne se moquerait sans doute de moi si je lui faisais part de mes impressions, mais j'ai eu l'occasion récemment de rétablir les faits.

Au sortir d'un cinéma, nous nous sommes trouvées un soir dans un café fréquenté surtout par des artistes, journalistes et acteurs. Nous étions là depuis peu, lorsque j'ai remarqué au bar deux rédacteurs sportifs. L'un d'eux, m'ayant déjà invitée à sortir, m'a adressé un faible sourire entendu. Contrariée, j'ai été tentée de m'en prendre à Anne et de lui en vouloir simplement d'être là, mais au même moment un grand type à la tête hérissée de cheveux blonds a demandé à s'asseoir près de moi. Il ne pouvait pas tomber mieux. Après quelques verres j'ai accepté qu'il me raccompagne à la maison. Entre-temps, Anne avait noué conversation avec un romancier dont elle venait de commenter le dernier roman. M'étant excusée auprès d'eux, j'ai donc quitté les lieux après m'être assurée que mon départ ne passerait pas inaperçu. Les types du bureau étaient toujours là, complets luisants et cravates tapageuses. Quand j'ai longé le bar suivie du grand blond, ils m'ont fait un imperceptible signe de tête, les yeux à demi calés dans leurs verres. J'étais triomphante, mais j'ignorais ce que j'allais faire de mon bel inconnu.

Dehors, la bruine avait recouvert les trottoirs d'une mince couche de glace. Tandis qu'il me tenait par l'épaule pour que je ne perde pas pied, j'ai dit que j'avais changé d'idée, que je ne me sentais pas bien (ou que la pluie était trop froide, le sol trop glissant...) et que je préférais rentrer seule. L'air ennuyé, il a continué de marcher à mes côtés comme si de rien n'était. Puis il a répondu que ça ne faisait rien, que c'était comme je voulais. Mais à l'instant où je hélais un taxi, il a intercepté mon bras: il insistait

pour me ramener. J'ai cru que j'allais avoir des embête-
ments, je me trompais. Cet homme était pure gentillesse.

L'épisode aurait pu se terminer ainsi, mais lorsque
j'ai revu Anne au bureau, je me suis sentie obligée d'y
revenir, en m'engageant dans un rapport aussi léger que
cavalier de ma nuit prétendument blanche. Les mots se
bousculant à la sortie, j'ai inventé de toutes pièces une histoire dont la crédibilité m'a étonnée moi-même. Emportée
par mon élan, je découvrais que je n'avais aucune honte à
mentir.

Anne, encouragée sans doute par mes confidences, a
osé pour la première fois s'enquérir de mon passé. J'aurais
pu perdre mon aplomb, mais je n'ai pas même sourcillé: je
m'étais déjà suffisamment éloignée de la vérité pour n'en
plus voir l'à-propos. M'appuyant sur les détails qu'Andrée
m'avait donnés sur elle-même et me fiant à ma mémoire
autant qu'à mon imagination, j'ai donc relaté sans peine à
Anne les péripéties passionnantes et les déceptions de la
vie amoureuse de Manon, alias Andrée.

Je ne savais pas pourquoi, lui ai-je dit, mais je ne connaissais pas les amours tranquilles et durables. Toujours les
entrées en matière m'euphorisaient, puis m'ôtaient l'envie
de pousser plus loin. Dès qu'une relation risquait de me
lier, j'y mettais le point final. Il y avait là quelque chose de
désespérant, mais si je me sentais parfois aussi seule
qu'une enfant ne retrouvant plus sa mère au milieu d'une
foire, j'avais au moins la satisfaction de ne faire aucun
compromis, d'être en pleine possession de ma vie, etc.

Tout cela, c'était du réchauffé, je faisais preuve à mon
tour d'un certain talent pour les pastiches, mais Anne n'y
a vu que du feu. Je lui avais fait le portrait d'Andrée à la
place du mien. Et, comme elle se plaît à le dire parfois au

sujet de la littérature, mes mensonges avaient engendré leur vérité.

Si j'ai abusé de la confiance d'Anne, c'était sans méchanceté. Cela ne m'excuse pas, mais avec toutes ces aventures que j'ai évoquées, je suis sûre au moins que les soupçons ne la prendront pas et que notre amitié pourra se maintenir au beau fixe.

Décidément, ma vie a pris une couleur différente depuis que j'ai rencontré Anne.

Il y aura bientôt un an que Paul s'est tué, un an que j'ai commencé à faire le vide autour de moi, puis à fuir ces images qui me poursuivent jusque dans les rêves les plus étranges. Parfois, à l'enterrement, Lemire caresse avec lenteur la joue du jeune blond. Curieusement, c'est moi qui me sens observée. Me retournant, j'aperçois Andrée parmi la petite foule en habits sombres, furieuse soudain de sentir la main de Lemire sur mon visage. Car le jeune blond n'est nul autre que moi. Parfois encore, dans mon lit actuel, le corps de Paul est enlacé à celui d'un autre homme. Lorsque, sur le pas de la porte, une femme est penchée en avant, cette femme, c'est Andrée. Elle reste là, interdite, car elle ne peut imaginer que moi dans les bras de Paul. Secouant la tête de droite à gauche, elle nie la vérité du spectacle qu'elle a sous les yeux... Oui, mes nuits sont ainsi peuplées de personnages interchangeables, et dans cette confusion, je n'ai de répit qu'à la pensée de retrouver Anne. Mes rêves n'épargnent qu'elle, et auprès d'elle mon passé prend l'aspect d'une illusion. Si pour Andrée j'étais devenue une énigme à résoudre, pour Anne je deviens tout ce que je choisis d'être.

Bien sûr, elle a aussi l'esprit investigateur, mais elle accorde moins d'importance aux faits qu'à ce que j'en dis. Sûrement, elle aurait fait un mauvais détective mais un bon avocat. Moi, comme témoin à décharge, j'aurais multiplié les faux serments... Anne ne voit pas pourquoi elle se méfierait, et c'est cela qui m'apaise, comme si je pouvais grâce à elle m'en remettre à mes inventions plus qu'à mes souvenirs. Lorsqu'elle est là, mes expériences antérieures n'ont pas plus de conséquence que les épisodes d'un triste roman ou d'un mauvais rêve.

Quant à mes humeurs souvent noires, Anne se les explique simplement, les attribue à un tempérament dépressif. Il y a trois jours, elle m'a même proposé de faire un voyage avec elle: sans se douter de la tempête d'inquiétude qu'elle soulevait en moi, elle a tout fait pour me persuader de la suivre en Italie, puis en Afrique du Nord.

En sortant du bureau de la rédaction, elle est venue m'annoncer qu'on lui accordait un congé de deux mois. Assise sur un coin de ma table, les gestes larges et la voix montante, elle m'exposait en vrac ses projets de vacances lorsque, prétendant m'avoir convaincue de l'accompagner, elle a commencé à parler comme si c'était chose entendue. Bientôt j'ai été prise d'un rire involontaire, donnant à penser sans doute que son excitation était contagieuse. C'est que j'étais à la fois heureuse et affolée, sur mes gardes. Prise au dépourvu, je feignais de m'amuser de son enthousiasme pour faire bonne contenance et, surtout, ne pas avoir à lui répondre.

L'idée de voyager avec Anne n'était pas sans m'effrayer. Mais elle croyait venir à ma rescousse, et j'avais envie de la laisser faire. Du reste, qu'allais-je devenir sans elle? Mon travail ne m'intéressait pas vraiment. Mes articles n'avaient rien de plus brillant que les concerts auxquels j'assistais. Les autres journalistes ne faisaient plus attention à moi, et mon salaire était dérisoire. J'avais délaissé ma musique avec une curieuse indifférence. Et

lorsque je n'étais pas avec Anne, je passais trop de temps
à dormir. Non, elle ne pouvait pas partir sans moi.

Ne tarissant pas, Anne faisait valoir que l'air méditerranéen me serait bénéfique, qu'elle me trouvait tendue et
méfiante, tourmentée, me soupçonnait de broyer du noir
dès qu'elle tournait le dos, et que ça ne pouvait pas continuer comme ça. Si j'étais tentée de prendre les devants, on
pouvait même se donner rendez-vous à Rome, dans un
petit hôtel où elle était déjà descendue.

Alors, sans plus réfléchir, j'ai dit que c'était d'accord.
Après tout, l'idée de fuir à l'étranger m'habitait depuis la
mort de Paul.

Anne, qui avait voyagé seule jusque-là, était radieuse.
Elle se souvenait d'un jour, disait-elle, où traversant la
mer Égée sur un bateau bondé de familles modestes et de
jeunes touristes, elle avait été saisie d'une telle sensation
de bonheur qu'elle avait senti sa poitrine s'épanouir, ses
jambes et ses bras se détacher, sa tête s'alléger jusqu'à
n'avoir plus de poids. Un instant elle avait cru qu'elle
allait s'envoler, disparaître entre les bleus du ciel et de la
mer... Jouissant de sa solitude, elle avait quand même
regretté de ne pouvoir partager ce moment avec personne.

Parce que je la dévisageais, sceptique, Anne soudain
s'était tue. Consciente d'avoir donné dans une de ses fréquentes tirades, elle s'est bientôt ressaisie en déclarant que
la même chose allait peut-être m'arriver un jour et qu'ainsi
au moins je serais prévenue. Puis, ayant allongé un bras au
travers de la haie de palmiers, elle a attrapé un des romans
de sa bibliothèque, dont elle m'a suggéré de lire un extrait.
On allait bien voir, a-t-elle ajouté, si elle était l'illuminée
que je croyais.

Au début de *The Colossus of Maroussi*, Henry Miller écrivait ceci:

«*I leaned back and looked up at the sky. I had never seen a sky like this before. It was magnificent. I felt completely detached from Europe. I had entered a new realm as a free man — everything had conjoined to make the experience unique and fructifying. Christ, I was happy. But for the first time in my life I was happy with the full consciousness of being happy. It's good to be just plain happy; it's a little better to know that you're happy; but to understand that you're happy and to know why and how, in what way, because of what concatenation of events or circumstances, and still be happy, be happy in the being and the knowing, well that is beyond happiness, that is a*

---

* «Je m'adossai pour regarder le ciel. Jamais je n'avais vu ciel pareil. Magnifique. Je me sentais complètement détaché de l'Europe. Je venais d'entrer dans un nouveau royaume, en homme libre — tout s'était conjuré pour donner à cette expérience un caractère unique et fécond. Dieu, que j'étais heureux. Mais heureux avec, pour la première fois de ma vie, la pleine conscience de mon bonheur. Être heureux, simplement, ce n'est pas mal; savoir qu'on l'est, c'est un petit peu mieux; mais comprendre son bonheur, en savoir le pourquoi et le comment, et le sens, connaître la suite d'événements qui en est la cause, et continuer à être heureux, heureux de l'être et de se savoir tel, ma foi, cela bat le bonheur, c'est de la félicité, et si on avait tant soit peu de sens commun, on devrait se tuer sur place et en finir un bon coup. Voilà comme j'étais — sauf que je n'eus ni la force ni le courage de me tuer sur le moment. Et je fis rudement bien de ne pas me liquider, soit dit en passant, parce que je devais connaître d'autres moments, plus grands encore, plus grands même, que la félicité, si grands que si on avait voulu me les décrire, je n'y aurais probablement jamais cru.» (*Le colosse de Maroussi,* (traduction de Jean-Paul Faure, Paris, Éditions du Chêne, 1958.)

bliss, and if you have any sense you ought to kill yourself on the spot and be done with it. And that's how I was — except that I didn't have the power or the courage to kill myself then and there. It was good, too, that I didn't do myself in because there were even greater moments to come, something beyond bliss even, something which if anyone had tried to describe to me I would probably not have believed[*].»

Ma lecture terminée, j'ai regardé Anne qui se tenait maintenant debout à mes côtés. Fervente et questionneuse, elle guettait ma réaction. Lui rendant son livre, je me suis contentée d'affirmer que dans de telles circonstances je souhaiterais, moi aussi, m'enlever la vie sur-le-champ. Dans un éclat de rire, comme une enfant qui vient de faire la preuve que vous aviez tort et lui raison, Anne a répondu qu'elle serait là pour m'en empêcher, à supposer que j'en aie le cran. J'ai eu envie de lui rétorquer qu'il ne faudrait pas qu'elle m'en défie. Mais craignant que la conversation ne tourne au sérieux, je me suis plutôt levée d'un bond, en annonçant que j'allais demander mon congé et réserver mon billet d'avion.

Quelques semaines plus tard, j'étais prête à embarquer pour l'Europe. Si je paniquais parfois, me voyant progresser comme un point minuscule sur une carte géographique grandeur nature, j'anticipais aussi le plaisir de retrouver Anne à Rome, à la fin du mois. La précéder m'avait semblé le meilleur moyen de dissocier, dans l'esprit des gens, ses projets de vacances des miens, tout en dissimulant ma réelle dépendance. Anne se doutait que rien ne me retenait à Montréal et, passionnée de voyages, elle n'aurait pas compris que je retarde pour elle la date de mon départ.

Avant de m'envoler vers Athènes, j'ai passé mes soirées avec Anne, à l'écouter parler d'îles grises et rases, au ventre arrondi, de ruelles grouillantes de monde, de trains remplis de voyageurs rougeauds et bavards, s'échangeant saucissons et bouteilles de vin… N'ayant jamais mis les pieds en Europe, je voyais se déployer ou se défaire sous mes yeux des clichés touristiques et j'étais impatiente de partir, impatiente de retrouver Anne avant même de l'avoir quittée. J'ignorais comment cette fébrilité m'était venue, mais Anne me faisait confiance, et c'était tout ce qui m'importait. En voyage, je m'attendais à changer de peau et de personnage, à accepter une fois de plus que l'on compte avec moi. Peut-être avais-je éprouvé un sentiment semblable lorsque Andrée m'avait proposé de venir habiter chez elle, mais avec Anne qui était moins impudente et moins batailleuse, ça ne pouvait pas tourner comme avec Andrée.

Suivant les conseils d'Anne, je me suis enfin vue descendre d'un car sur la place Omonia. Dans la chaleur de plein midi, des odeurs de poulet grillé mêlées à des relents d'essence me tournaient le cœur. Après avoir pris le temps de ramasser mes émotions, soudain terriblement éparses, à une terrasse dont les tables bravaient le va-et-vient continuel des piétons sur le trottoir, j'ai trouvé le courage de me transporter jusqu'à mon hôtel. Première constatation: les états dépressifs s'accommodent mal aux voyages solitaires.

À peine arrivée à Athènes, j'étais anxieuse à la pensée de ces deux semaines qui me séparaient de mon rendez-vous à Rome. L'hôtel était propre, plus que convenable, et tandis que je feuilletais distraitement les dépliants que m'avait donnés l'agent de voyages, je n'avais envie que de m'incruster dans mon lit, d'y dormir jusqu'à la fin du mois. Anne m'avait suggéré de visiter les Cyclades et la Crète, mais je n'avais l'énergie ni d'envisager une croisière ni de me trimballer jusqu'aux quais du Pyrée.

En réalité, je n'avais de goût pour rien. Je suis donc restée là trois jours, à ne faire que manger, écrire et dormir, passant le plus clair de mon temps à l'abri de la chaleur et des bruits, le cerveau climatisé. Un soir où j'étais en meilleure disposition, j'ai tout de même marché jusqu'à la Plaka. Jouant de malchance, je suis parvenue au Parthénon au moment de la fermeture, mais j'allais au moins pouvoir dire à Anne que j'y étais allée. La place était déjà illuminée, l'air doux et paisible. Assise sur un banc de pierre, j'ai attendu que les derniers touristes soient partis. La nuit avait quelque chose de solennel et, m'abandonnant à la beauté du lieu, je me suis mise à pleurer.

De retour à l'hôtel, j'ai décidé de prendre un bateau pour Corfou dès le lendemain. En me rapprochant de Rome, je pourrais peut-être me bercer de l'illusion que l'arrivée d'Anne n'était pas si lointaine.

Dans le port de Corfou, je suis passée devant un bateau qui appareillait pour Dubrovnik et, continuant sur ma lancée, je m'y suis embarquée: d'après ma carte de l'Europe, cette ville était à la même latitude que Rome, dont elle n'était séparée que par six degrés de longitude.

Des touristes allemands et américains m'ont adressé la parole sur le pont promenade, mais j'ai fait la sourde oreille. Appuyée au bastingage, les yeux fixés sur la ligne d'horizon, j'étais à cent lieues des états euphoriques qu'Anne

m'avait décrits, mais la mer ne me laissait pas indifférente.
Me rappelant l'extrait de roman qu'elle m'avait donné à
lire, je comprenais trop bien Miller lorsqu'il parlait de la
tentation d'en finir. *To kill yourself on the spot and be done
with it.* On n'avait pas besoin d'être heureux pour cela.
Miller avait associé à un désir de mort sa sensation éperdue
de bonheur, afin d'en rendre l'intensité. Mais le malheur
n'était-il pas, tout compte fait, aussi envoûtant que le bonheur? Quelle différence y avait-il entre une extrême euphorie et une extrême détresse, si l'une comme l'autre vous
donnaient envie de mourir sur le coup? *Tu me tues, tu me
fais du bien...* C'était Andrée qui m'avait rapporté cette
phrase d'un film de Resnais... Mais je n'étais plus disposée
à être heureuse. Et ces références pour lettrés me semblaient
moins persuasives que la surface miroitante de la mer.

J'ai passé plus de dix jours sur une plage de Yougoslavie, à dormir au soleil. Ma peau a bruni et mes cheveux
ont blondi, mais si l'enveloppe a changé, elle cache toujours le même merdier. J'ai l'air en bonne santé, et cela
me fait une belle jambe.

À l'hôtel comme à la plage, je suis entourée d'Allemands blonds et grands, aux pensées très exactes s'il faut
en croire l'inflexion de leurs voix. L'avantage avec eux,
c'est que leur charabia m'isole. J'ai beau être entourée
d'une foule de vacanciers, je me sens en lieu sûr.
D'ailleurs, c'est à chacun sa serviette et son parasol, son
carré de sable, avec prière de garder son chien chez soi.

À midi, le soleil est si accablant qu'il me cloue sur la
plage. Je voudrais me tremper dans la mer ou rentrer à
l'hôtel que je n'arriverais pas seulement à bouger le petit
doigt. Alors j'imagine que la marée monte, que les vagues
me lèchent d'abord les pieds, puis les cuisses, puis le dos

et la nuque. L'eau roule sur la grève, me couvre et me découvre. Mes cheveux flottant sur le sable, je sens que la mer me pénètre peu à peu, s'insinue en moi par mon sexe, ma bouche et mes yeux.

N'ayant pu me résoudre à laisser mon journal derrière moi, à Montréal, j'en ai emporté tous les cahiers. Plus le temps passe, plus j'y suis attachée, même si je n'éprouve pas souvent l'envie d'écrire. Il me faudrait le zèle enthousiaste d'une touriste pour y consigner mes impressions de voyage, sans laisser tous ces blancs. Mais j'ai le sentiment d'être arrivée au bout de moi-même, et de n'avoir que cela à dire. Ma vie actuelle se réduit à presque rien, et ce rien me fascine, plus encore j'aspire à l'inertie. Du reste, je commence à deviner vers quelle extrême sensation je tends, comme d'autres courent après le bonheur. Tout ce que j'ai empêché ou nié après la mort de Paul n'était qu'un prélude. Maintenant je suis prête pour la symphonie.

En arrivant à Athènes, j'avais l'impression que le mois de mai ne finirait jamais. Or les deux dernières semaines n'ont pas été aussi pénibles que je le redoutais, et elles m'ont été utiles.

Demain, je prendrai un bateau pour l'Italie et un train pour Rome, puis j'irai trouver Anne dans ce restaurant dont elle m'a donné le nom. Il est possible aussi qu'on se croise à l'hôtel avant le dîner, mais dans un cas comme dans l'autre je compte bien qu'elle sera au rendez-vous. Émue à la pensée de la revoir, je tremble à celle de lui annoncer que j'ai renoncé à nos projets.

Car il n'est plus question que j'aille sur la côte africaine. En faisant ce voyage, Anne et moi nous engagerions sur une mauvaise pente. Si je comprenais pourquoi je me suis liée avec elle, je comprendrais peut-être aussi pourquoi je suis réfractaire au reste du monde. Mais que dirait Anne si elle découvrait que mes seules et rares confidences étaient de pures inventions? Et combien de temps mettrait-elle à se troubler de ce que je ne suis bien qu'avec elle? Puis à me forcer dans mes retranchements comme Andrée?

Non. Notre amitié ne pouvait durer que tant qu'il y avait entre nous une distance raisonnable. Trop près l'une de l'autre, nous ne réussirions qu'à nous faire du tort ou qu'à tout gâcher.

Ces dernières nuits, j'ai revu d'épouvante en épouvante l'accident de Paul. La moto file à toute allure, rouge et minuscule, sur l'étroit ruban d'asphalte. Lorsqu'elle dévie de sa trajectoire et heurte un pilier de béton, elle se rapproche soudain comme par l'effet d'un zoom. Alors je vois un corps s'élever dans les airs, puis retomber sur le pavé comme un sac de sable, face contre terre. L'instant d'après dans mon lit, la joue rivée au matelas et les membres en étoile, je me sens écrasée sous la pesanteur du ciel.

Anne m'attend, et je serai au rendez-vous. Mais je n'irai ni à Naples, ni en Sicile, ni en Afrique. Il me faudra trouver une excuse, mais cela ne devrait pas être trop difficile.

Pour le reste, ce n'est plus qu'une question de jours.

rome, le 10 décembre

Anne. C'était le nom que ma mère voulait me donner. Dommage que mon père ait insisté pour que je porte celui de sa plus jeune sœur, morte à l'âge de deux ans. Ayant décidé que je la remplacerais, il a feint de croire qu'il avait déjoué le destin. J'ai donc grandi en abritant en moi une petite fille morte une vingtaine d'années plus tôt. À son insu, mon père m'a fait porter le poids de ses regrets. Anne. Ma mère aurait dû me défendre contre la sombre sentimentalité de mon père. Faire savoir à une enfant qu'elle est la pâle mais vivante réplique d'une autre, qui a disparu, ce n'est pas un coup à lui faire. Et cela pourrait être de mauvais augure.

Quoi qu'il en soit, il m'a semblé étrange en tant que personnage de roman de porter un autre nom que le mien.

J'ai eu du mal à retracer la courte période où j'ai été mêlée à la vie de Manon, le point de vue de mon récit et celui de ses cahiers interférant continuellement. Par un sourd travail, nos deux personnages commençaient d'exister à travers son journal, mes souvenirs, mes doutes sur ses témoignages ou sur mes observations. À sa perception avouée ou prétendue d'elle-même et de moi s'ajoutait la mienne, comme aussi l'idée que j'avais de l'idée qu'elle se faisait de moi. Je naguais en pleine représentation et, soucieuse de respecter la vision de Manon pour ne pas trahir la logique même incertaine de son personnage, je m'efforçais de réprimer ma subjectivité. C'était là une entreprise aussi désespérée qu'insensée, les procédés de substitution et d'identification n'étant toujours que des procédés. Pourtant, consciente des voix différentes que mon écriture cherchait à concilier, je m'astreignais à ne pas les confondre pour mimer ce que je croyais être les mouvements de la pensée de Manon, ceux de son journal.

Au début la tâche m'était assez facile, car en relatant des épisodes auxquels je n'avais pas eu part, je ne pouvais que redoubler la voix de Manon, sans la dédoubler. Les cahiers noirs étaient là, qui seuls inspiraient l'écriture. J'étais à distance des événements que je racontais, mais je comptais que cela me permettrait d'y voir plus clair que Manon. Étant incapable en outre de museler mon imagination, je voulais croire qu'elle contribuerait à une figuration plus vraie des faits. Après tout Manon n'avait dressé que des tableaux succincts et incomplets, allusifs ou défectueux, dont il fallait que je rétablisse la chaîne et répare les omissions.

Toutefois, lorsque j'ai fait mon entrée dans le récit, j'ai dû dompter ma pudeur et ma fierté. Sur la page mon existence ne pouvait être qu'approximative, mon portrait, partial et superficiel, car la narratrice d'une part ne me voyait que de l'extérieur, d'autre part ne pouvait se soucier de me rendre justice, étant entièrement occupée à se justifier elle-même.

Mon amour-propre a donc été atteint plus d'une fois, cette histoire me prêtant le rôle d'une jeune femme qui se repose sur des mensonges. Parce qu'à force de nier ce qu'elle avait vécu ou craignait de vivre, Manon était devenue une fabulatrice. Malheureusement, plus on nie et moins on se détache.

Rien ne m'ayant permis, les premières semaines, ni de découvrir ce qui la tourmentait ni d'entrevoir la place que j'aurais dans sa vie, j'avais consenti à une amitié qui me semblait des plus normales. C'est pourquoi il m'a été pénible de représenter la fausseté de Manon. Si je n'étais pas responsable de l'ambivalence de ses sentiments, je ne pouvais m'empêcher de m'en sentir coupable, conformément sans doute à la psychologie de la victime. Mais en reprenant ses ambiguïtés comme je me le devais, j'ai épargné quelque peu ma sensibilité.

Pratiquant la critique de fiction, je ne me tenais auparavant ni pour une véritable critique ni pour un véritable écrivain. Empochant le salaire de l'une et cultivant les fantaisies de l'autre, je n'avais pas la faveur des éditeurs de publications à fort tirage, ce qui me confinait aux revues parallèles ou spécialisées. En remplissant mes cahiers, j'ai peut-être fait un pas de plus vers la fiction, mais à considérer les efforts de déchiffrement qu'il m'a fallu déployer pour élaborer mon récit, je suis obligée d'admettre qu'en moi la critique n'avait pas dit son dernier mot.

Si j'avais d'abord projeté de faire dire au journal de Manon ce qu'il n'énonçait pas en toutes lettres, je me suis ravisée. Non que j'aie écarté mes premières intuitions concernant ce que j'osais à peine considérer, au début, comme les peurs suspectes de Manon. Mais il semble qu'en m'identifiant de plus en plus à son personnage j'aie fini par céder aux mêmes angoisses et aux mêmes scrupules que lui. Captive de ce que je croyais avoir décelé dans les cahiers numérotés, j'y trouvais mon souffle aussi bien que mes limites.

Ayant voulu refaire patiemment et fidèlement le trajet des cahiers noirs, j'en étais devenue sans m'en rendre compte l'unique cible. Était-ce pour cela que Manon ne les avait pas détruits avant de mourir? Pour témoigner qu'il était impossible de vivre quand le désir ne savait plus vers qui ni vers quoi se tourner?

J'ai dû quitter avant-hier l'hôtel de la via Veneto. Je suis revenue à la pension Walder où j'occupe la même chambre qu'à mon arrivée à Rome. J'aurais voulu garder celle de Manon jusqu'à mon départ pour Montréal, mais les caprices de Franco en ont décidé autrement.

Parce qu'il me faisait la chasse, mon attitude à son égard était passée de la complaisance à la tolérance à l'agressivité. Consciente d'être à sa merci dans son hôtel, j'étais quand même résolue à n'en pas bouger tant et aussi longtemps que je n'avais pas fini mon manuscrit. Mais je comprends qu'après avoir fait cent fois le tour de ses frustrations il m'ait mise à la porte, sa persévérance et son sang-froid étant les seules causes de mon étonnement. Sous prétexte que la saison touristique est terminée, il m'a retiré prix d'ami et emploi. Par bonheur j'achevais mon travail et, s'il ne m'avait pas congédiée, je serais partie de moi-même quelques jours plus tard.

Dans une valise, mes cahiers à tranches rouges et les cahiers numérotés sont empilés côte à côte. Six mois de ma vie sont enfermés là, avec le souvenir imparfait de mon attachement pour Manon. D'une pile à l'autre, il pourrait n'y avoir que la différence entre un premier brouillon et la version définitive d'un roman. Mais à mettre en scène la mémoire de Manon, j'ai probablement déformé l'image que j'avais d'elle, jusqu'à la rendre méconnaissable. L'écriture est parfois indélicate et, bienveillante ou non, elle en dit toujours trop ou trop peu.

J'ignore comment je sortirai de cette affaire, car j'ai
éveillé en moi cette même peur qui expliquait, dans les
cahiers noirs, les sursauts d'une imagination traquée.
Comme Manon je suis déjà disparue sans laisser d'adresse,
et comme elle j'ai déjà survécu au suicide d'un être cher.
Ajoutez à cela quelques robes et chaussures, et une ressemblance alarmante se précise.

J'ai prévenu des amis de la date de mon retour, et ils
m'attendront demain à l'aéroport. En débarquant, je leur
dirai que la chaleur et la beauté de Rome m'ont séduite, et
que j'y suis restée pour écrire.

«Alors, pendant qu'on s'inquiétait, qu'on te croyait
morte, kidnappée ou droguée, convertie à la religion mu-
sulmane ou mariée à un mafioso, toi, tu écrivais tranquillement à Rome? Qu'est-ce que c'est? De la poésie?
Un roman? ..

— Un roman?... Oui, si vous voulez.»

Et s'ouvrant un chemin à travers le froid cristallin
d'un après-midi ensoleillé d'hiver, l'avion s'est allongé
mollement sur la piste. Après qu'il se fut immobilisé contre l'aérogare, puis abouché avec elle, les passagers se
sont égrenés dans un long corridor. Parmi eux, il y avait
une jeune femme en jean noir et pull rouge.

DOSSIER

LA TENTATION DU DÉSORDRE

Roman sur la séduction, *Le Double suspect* est traversé par une réflexion sur l'identité, les limites entre ordre et désordre, la vérité. Et l'écriture.

Narré à la première personne, se donnant pour un récit redoublé, il explore la subjectivité de femmes dans la trentaine, en interrogeant les liens entre fiction et réalité, puis en suggérant qu'il n'y a pas d'histoires vraies.

S'il propose un monde de sensations exactes et de rationalisations approximatives, où l'être de chaque personnage est incertain, dépendant de confondantes interprétations du réel ou impressions, c'est qu'il déplace dans la réalité physique et dans le langage toute certitude dite intérieure.

On a écrit que ce roman alliait une extrême lisibilité de l'écriture à une extrême complexité de la composition. Sa structure me semble tisser sa propre intrigue, qu'on peut lire ou non, et dont le personnage principal est le Double. Produit imaginaire ou projection romanesque, celui-là défie, déjoue et consacre à la fois tous les interdits. Il se substitue aux personnages, déplace l'objet de leurs soupçons et parle pour eux le langage de l'infraction, de la déraison, de la fiction.

Lors d'une tournée de conférences dans l'ouest des États-Unis, j'expliquais en ces mots comment s'est imposé le titre de cet ouvrage:

«Le jour où j'ai terminé la rédaction de mon premier roman, je n'avais toujours pas de titre en tête.

«Puis j'ai lu par hasard un commentaire sur *The Madwoman in the Attic,* un essai de Susan Gubar et Sandra Gilbert sur la femme écrivain et l'imagination littéraire au XIXe siècle.

«En cours de lecture, l'idée m'est venue d'intituler mon roman *Le Double suspect.*

«Ce titre, qui trop souvent me vaudrait de trouver mon roman en librairie sur les mêmes étagères que les histoires policières ou de série noire, était pour moi directement relié à la pratique de la fiction, et aux représentations fictives des femmes dans les textes littéraires.

«Au XIXe siècle, les romancières étaient en quelque sorte les travestis de la littérature: pseudonymes masculins, attitudes et vêtements d'hommes. […] Lorsqu'elles ne bravaient pas ouvertement leurs limites, elles avaient recours à des simulations, à d'ingénieuses stratégies narratives leur permettant de se soustraire à la répression qu'exerçaient sur elles les codes tant littéraires que sociaux. Se cachant, comme nous le savons, derrière des personnages masculins, feignant d'être des narrateurs s'adressant à des lecteurs du même sexe, et tissant dans leurs romans des réseaux de sous-conversations qui échappaient à la critique, elles inventaient aussi des personnages fous, troublés ou déviants, qui sous le couvert de leur folie pouvaient contester ou même décrier les lois sans pour autant être condamnés. Ces personnages, qui représentaient les désirs inavouables (parce que socialement illégitimes) de l'auteur, semblent à présent avoir tenu le rôle d'*alter egos.* Le "je" avait engendré dans le

texte de fiction son propre double, qui était investi du pouvoir à la fois insidieux et limité de la rébellion symboli-
que. Ce faisant, il s'était aussi dissocié de ses propres
désirs: quelqu'un d'autre parlait pour lui le langage de la
déviance, de l'insanité ou de la déraison. Un déplacement
s'était produit du "je" vers l'autre, vers son double.

«Dans *Le Double suspect* publié en 1980, une femme
s'avise de récrire le journal d'une amie morte, pour en
faire un roman.

«Durant les derniers mois de sa vie, l'auteur du journal, sommes-nous amenés à inférer du roman dans le
roman, aurait été gagnée par une peur irrépressible de la
déviance ou du désordre, ce que j'ai choisi de représenter
par une peur de l'homosexualité.

«Entre la femme qui a entrepris de récrire à la première personne l'histoire d'une autre, et cette autre qui est
devenue un personnage fictif, bientôt s'établit la relation
d'un sujet à son *alter ego,* à son double sur lequel peuvent
être reportés tous les soupçons.

«Avant longtemps, la romancière croit entrevoir les
raisons pour lesquelles elle est fascinée par le journal de
son amie, plus encore poussée à le récrire, se demandant
si elle n'est pas en train d'opérer un déplacement de ses
propres désirs.

«Un siècle avait passé. À mon insu, il semblait que
j'eus choisi pour sujet manifeste de mon roman ces mécanismes secrets grâce auxquels à une autre époque, selon
toute vraisemblance, les femmes écrivains affirmaient et
niaient à la fois leur peur d'être considérées comme

déviantes, peut-être folles, des anomalies de la nature ou de la société.

«La répression, désormais, semblait opérer ailleurs. Car non seulement ce qui avait coutume d'être caché mais également les procédés de dissimulation pouvaient maintenant être exposés. Pour être jugée déviante, une femme devait faire bien davantage que de s'affirmer comme sujet, fût-ce comme sujet écrivant, bien davantage que d'assumer son identité sexuelle.»

MADELEINE MONETTE, extrait d'une conférence intitulée «De femmes, de fiction» et prononcée en 1984.

RÉCEPTION CRITIQUE

«[…] ce roman envoûtant emprunte à la fois à l'intrigue policière, au discours critique moderne et au roman psychologique traditionnel. Mais tout cela nous est donné dans un fondu enchaîné qui ne brusque rien, ne terrorise personne et ne montre pas ses ficelles. *Le Double suspect* satisfera donc aussi bien les amateurs de lecture paisible que les adeptes de structures sophistiquées entretenant des attaches précises avec le métalangage ou la psychanalyse. Voilà un tour de passe-passe peu commun. […]

«Car le véritable sujet du livre est la séduction et ses doubles. La séduction qui s'exerce entre hommes et femmes; ce qu'elle dissimule ou, au contraire, ce qu'elle compromet, les leurres qu'elle favorise. La séduction qui s'établit entre lecteurs et personnages grâce au style capable de susciter ce rapport de désir par la magie du texte, voire par le mensonge du texte. Car une bonne littérature est celle qui sait mentir, c'est-à-dire celle qui sait inventer un monde fictif à côté duquel la réalité a beaucoup à envier.

«Et Madeleine Monette arrive à tout cela sans déce voir personne. Ceux qui cherchent, dans le roman, l'évolution dramatique d'une intrigue, l'illustration de rapports sociaux, l'expression de préoccupations contemporaines, ne sont pas négligés pour autant. Car ce roman fait une analyse franche et lucide des liens affectifs érotisés qui se

nouent entre femmes, aussi bien que des rapports amoureux sexualisés qui s'établissent entre gens de sexe différent dans la topologie des relations humaines. Où commence le désir et où échoue l'exigence de bonheur, de
vérité et d'autonomie que l'on s'était donnée pour but. La
séduction est-elle stratégie de conquête visant à combler la
béance du désir, ou tactique d'approbation justifiant des
normes suspectes et légendaires d'aliénation dont les femmes commenceraient à se méfier? […]

«Ce premier roman est une belle réussite. […]

«Avec *Le Double suspect,* Madeleine Monette lance
un défi non seulement au roman québécois mais aussi à
elle-même. Que pourront nous offrir les romans à venir de
plus captivant, de plus achevé, de plus habile. De plus
subtilement pervers. Anne, la narratrice, n'a-t-elle pas
avoué "qu'il n'y avait que la littérature pour contourner,
tout en les déplaçant, les interdits dont étaient frappés nos
rêves et nos désirs"?»

MADELEINE OUELLETTE-MICHALSKA,
Le Devoir,
26 avril 1980

«L'intérêt du roman vient de cette patiente exploration, par des femmes, de ce moi qu'elles ne voient d'abord
que voilé par les masques stéréotypés de la culture. Certes, elles aspirent à l'origine à un certain bonheur, dans la
banalité des rapports traditionnels des hommes et des femmes; pourtant cette banalité est créatrice dans la mesure où
elle est transgressée, dans les faits ou dans les intentions.
[…]

«Le "double suspect", c'est celui qui résulte de la reconnaissance de connivences refusées, parce que contraires aux codes sociaux. [...]

«Ainsi les moments dramatiques prennent-ils tout le relief nécessaire, tandis que l'essentiel, qui est peut-être la découverte d'une nouvelle éthique des rapports entre personnes, située tout à fait en dehors des mécanismes de séduction active ou passive, s'inscrit dans un espace assez vaste pour satisfaire aussi bien les exigences de la fiction que celles de la démonstration.»

RÉGINALD MARTEL,
La Presse,
26 avril 1980

«... l'effet réaliste réussit [...] la fiction "prend". [...]

«De quoi est-il question dans toute cette fiction? De choses très simples; de femmes et d'hommes qui changent dans leurs rapports, de l'image du couple qui se transforme, des amitiés entre femmes, de l'homosexualité, de la solitude et de l'incertitude, de la façon de vivre tout cela au jour le jour. Et tout cela se passe sans dogmatisme, sans jugement moral; cela se passe dans le questionnement qui prend formellement les allures du miroitement du double (le rapport Autre/Même, le lieu de l'identité). Les personnages, leurs noms, leurs gestes, leurs vêtements deviennent interchangeables. On voit bien que le support de la fiction, que le jeu des structures narratives est là pour autre chose, est là pour mettre en circulation les désirs suspects que l'invention romanesque permet de vivre par procuration.

«Malgré tous ces miroitements de doubles, cela demeure un texte facile, lisible. Ce n'est pas un défaut, c'est comme si c'était un souci de style. [...]

«... quant à écrire des romans, aussi bien le faire comme Madeleine Monette le fait, c'est-à-dire dans des formes neuves...»

MARCEL LABINE,
Spirale,
juin 1980

«À ma connaissance, personne n'a réussi à fournir un système d'interprétation valable du double dans la littérature. Otto Rank s'y est essayé (cf. *Don Juan et le double*) avec un succès mitigé. Pourtant le double obsède à ce point les écrivains qu'il occupe autant de place que le "roman familial" si merveilleusement analysé, d'un point de vue psychanalytique, par Marthe Robert dans *Roman des origines et origines du roman*.

«En attendant l'essai qui nous ouvrira les yeux sur le double, les écrivains n'en continuent pas moins d'en parler. Madeleine Monette, gagnante du prix Robert-Cliche, a consacré tout son roman à en décrire les effets. Pour un premier essai, une vraie réussite. [...]

«Anne, chroniqueuse littéraire, doit rencontrer à Rome Manon, une compagne de travail. Elles projettent de partir pour un voyage vers le sud et le soleil de la Méditerranée. Le projet avorte: Manon décide plutôt d'aller rejoindre Hans, son amant, à Munich. En réalité, elle court vers son suicide.

«Après l'accident fatal sur l'autostrada del Sole, on remet à Anne les effets de Manon: peu de choses sinon une série de cahiers noirs qui constituent le journal personnel de Manon.

«Anne, poussée on ne sait trop par quel désir inconscient, décide de récrire les cahiers de Manon. Elle prétend vouloir dévoiler ainsi "ce que Manon a voulu taire".

«La poursuite du double s'amorce. Entre les jumelles (Anne et Manon, dit-on, se ressemblent étrangement) s'inaugure un journal à deux mains qui se déploie dans un fascinant jeu de miroirs.

«De fait les images diffractées se multiplient de page en page. La règle de base est celle du double jeu. Derrière l'aveu se camoufle l'inavouable. Mais l'inavouable s'avoue malgré lui. Le corps le dit même si la parole s'y refuse. [...] «Ce phénomène de dédoublement se fait sentir jusque dans l'écriture [...] le lecteur se laisse prendre par ce récit de l'ambiguïté où toute vérité devient suspecte et… fascinante.»

ANDRÉ VANASSE,
Livres et auteurs québécois,
1980

MADELEINE MONETTE

Après avoir écrit à New York *Le Double suspect*, un premier roman qui lui a valu le prix Robert-Cliche en 1980, elle élit domicile dans cette ville. Ses deuxième et troisième romans, *Petites violences* et *Amandes et melon*, paraissent en 1982 et 1991. *Amandes et melon* est sélectionné pour le prix de l'Académie des lettres québécoises et le prix des libraires Edgar-Lespérance. Un quatrième roman, *La femme furieuse*, paraîtra en 1997.

Née en 1951 à Montréal, Madeleine Monette fait des études classiques aux collèges Regina Assumpta et Saint-Ignace de 1962 à 1969, puis des études de littérature à l'Université du Québec à Montréal de 1969 à 1972, où elle obtient un baccalauréat spécialisé et une maîtrise. De 1972 à 1978, elle enseigne la littérature au niveau collégial, d'abord à Granby puis à Longueuil. Pendant ces années d'enseignement, elle fait de nombreux voyages à l'étranger.

À compter de 1981, après la publication du *Double suspect*, elle est plusieurs fois boursière du Conseil des Arts du Canada et du Conseil des arts et des lettres du Québec, et elle présente des conférences et lectures publiques aux États-Unis, au Québec et en France. En 1993-1994, elle est écrivaine en résidence à l'Université du Québec à Montréal. En 1994, elle obtient la première bourse d'écriture Gabrielle-Roy, qui lui permet d'habiter la maison de campagne de la romancière décédée en 1983. Pendant quelques mois, dans le village de Petite-Rivière-Saint-François au bord du fleuve Saint-Laurent, elle poursuit donc l'écriture de *La femme furieuse*.

Vivant aux États-Unis, membre du Pen American Center de New York, Madeleine Monette demeure très attachée à son milieu culturel d'origine. Plusieurs nouvelles, extraits de romans et témoignages sont lus sur les ondes de Radio-Canada et publiés dans des recueils collectifs; d'autres paraissent dans des revues dont *Trois*, *Arcade*, *Québec français, Mœbius*, *Écrits du Canada français*, *Écrits, Liberté, Tessera, Nuit blanche*, *Le Sabord* et *Possibles*. Des textes paraissent également aux États-Unis et en France, en version originale et en traduction.

ŒUVRES DE MADELEINE MONETTE
ET BIBLIOGRAPHIE

Romans

Le Double suspect, Montréal, Les Quinze, éditeur, coll. «Prose entière», 1980, 241 p.; Montréal, Les Quinze, éditeur, coll. «10/10», 1988, 279 p.; Montréal, Typo, 1996, 240 p. Prix Robert-Cliche.

Petites Violences, Montréal, Les Quinze, éditeur, coll. «Prose entière», 1982, 242 p.; Montréal, Typo, 1994, 256 p.

Amandes et melon, Montréal, l'Hexagone, coll. «Fictions», 1991, 466 p.

Nouvelles

«L'Américain et la jarretière», dans *Fuites et poursuites* (collectif), Montréal, Les Quinze, éditeur, 1982; Montréal, Les Quinze, éditeur, coll. «10/10», 1985, p. 7-37.

«Formes», *Québec français,* décembre 1983, p. 39.

«La plage», dans *Plages* (collectif), Montréal, Québec/Amérique, coll. «Littérature d'Amérique», 1986, p. 79-101; *Sud* (France), nᵒˢ 78-79, 1988, p. 155-172.

«Caro Mimmo…», *Mœbius,* nᵒ 29, été 1986, p. 51-56.

«Le maillot», dans *L'aventure, la mésaventure* (collectif), Montréal, Les Quinze, éditeur, 1987, p. 133-150.

«Bruits», *Trois,* vol. III, n⁰ 1, automne 1987, p. 37-40.

«L'ami de lettres», dans *Nouvelles de Montréal,* Montréal, l'Hexagone, coll. «Typo», 1992, p. 127-133.

«Noises» (trad. George Newman), *Beacon* (États-Unis), 1993, p. 15-18.

Traductions

«Au jeu» de William Wood, catalogue de l'exposition de Will Gorlitz au 49ᵉ Parallèle, New York, 1987, 32 p.

Catalogues d'exposition du 49ᵉ Parallèle (Galerie d'art canadien contemporain à New York) et de la Galerie d'art de l'ambassade du Canada à Washington, 1987-1991.

«Le dessin en tant qu'éros et mémoire» de S. Kwinter, *Betty Goodwin, Steel Notes,* essais en collaboration, National Gallery of Canada, 1989, 151 p.

«Une fable des prairies» (*A Prairie Fable* de Ken Mitchell), *La Nouvelle Barre du jour,* n⁰ 126, mai 1983, p. 148-150.

Essais/témoignages

«Auto-portrait», *Québec français,* décembre 1983, p. 38.

«Détournements» (communication présentée au troisième colloque de l'Académie des lettres du Québec), *Écrits du Canada français,* n⁰ 58, 1986, p. 94-103.

«Les nouvellistes réfléchissent sur la nouvelle», *Québec français,* n⁰ 66, mai 1987, p. 66-69.

«Vivre ailleurs pour écrire», *Nuit blanche,* n⁰ 28, mai-juin 1987, p. 42.

«Plaque tournante», *Possibles,* Montréal, vol. XX, n⁰ 4, 1996, p. 128-134.

Études sur l'œuvre

AAS-ROUXPARIS, Nicole, «Inscriptions et transgressions dans *Le Double suspect* de Madeleine Monette», *The French Review,* vol. XLIV, n° 5, avril 1991, p. 754-761.

BOUCHER, Jean-Pierre, «Représentation et mise en scène dans *Petites Violences* de Madeleine Monette», *Littératures,* Université McGill, Montréal, n° 13, 1995.

CHASSAY, Jean-François, «La contrainte américaine: Madeleine Monette et Monique La Rue», *Montréal, 1642-1992. Le grand passage,* actes du colloque «Montréal imaginaire», Montréal, XYZ éditeur, 1994.

CHEVILLOT, Frédérique, «Les hommes de Madeleine Monette», *Québec Studies,* American Council for Québec Studies, Dartmouth College (N.H.), n° 15, automne 1991-hiver 1992.

COLVILE, Georgiana, «Fruits de la passion: perspectives picturales dans *Amandes et melon* de Madeleine Monette», University of Dalhousie, Halifax, 1995.

FISHER, Claudine G., «Sensibilité française et transgressions dans *Plages*», *Revue francophone de Louisiane* (actes du colloque mondial du CIEF), vol. V, n° 1, printemps 1990, p. 64-70.

GOULD, Karen, «Translating "America" in Madeleine Monette's *Petites Violences*», *Textual Studies/Études textuelles au Canada,* n° 5, 1994.

GRONHOVD, Anne-Marie, «Images spéculaires dans les romans de Madeleine Monette», *Québec Studies,* American Council for Québec Studies, Dartmouth College (N.H.), n° 15, automne 1991-hiver 1992, p. 1-9.

LEBLANC, Julie, «Autoreprésentation et contestation dans quelques récits autobiographiques fictifs», (H. Aquin,

M. Monette), *Québec Studies,* American Council for Québec Studies, Dartmouth College (N.H.), n° 15, automne 1991-hiver 1992, p. 99-109.

LEBLANC, Julie, «Vers une rhétorique de la déconstruction: les récits autobiographiques fictifs de Madeleine Monette et de Gilbert La Rocque», *Dalhousie French Review,* vol. XXIII, automne 1991-hiver 1992, p. 1-10.

NEPVEU, Pierre, «Littérature québécoise: vers une esthétique de la non-violence», *Trois,* vol. IV, n° 1, automne 1988, p. 30-32.

«Rencontres avec Madeleine Monette, 23-24 juin 1992, Strasbourg, CIEF», *Québec Studies,* American Council for Québec Studies, Dartmouth College (N.H.), vol. XVII, automne 1993-hiver 1994, p. 107-115.

RICOUART, Janine, «Le silence du double dans *Le Double suspect* de Madeleine Monette», *Québec Studies,* American Council for Québec Studies, Dartmouth College (N.H.), n° 7, 1988, p. 137-144.

RICOUART, Janine, «Entre le miroir et le porte-clés: *Petites violences* de Madeleine Monette», *Dalhousie French Review,* vol. XXIII, automne 1991-hiver 1992, p. 11-19.

ROUSSEL, Brigitte, «Le jeu du *je* chez Madeleine Monette», *Revue francophone de Louisiane* (actes du colloque mondial du CIEF), vol. V, n° 1, printemps 1990, p. 56-64.

SESSION SPÉCIALE DU CONSEIL INTERNATIONAL DES ÉTUDES FRANÇAISES (CIEF) sur «L'œuvre de Madeleine Monette», Tucson (Ariz.), printemps 1991.

Table

Le Double suspect

Cahiers à tranches rouges 1 51
Cahiers à tranches rouges 2 125

Dossier

La tentation du désordre 213
Réception critique 217
Madeleine Monette 223
Œuvres de Madeleine Monette et bilbiographie... 225

TYPO
TITRES PARUS

Archambault, Gilles	*Le voyageur distrait* (R)18
Archambault, Gilles	*Les pins parasols* (R)20
Baillie, Robert	*Des filles de beauté* (R)40
Baillie, Robert	*La couvade* (R)101
Barcelo, François	*Agénor, Agénor, Agénor et Agénor* (R)23
Basile, Jean	*La jument des Mongols* (R)26
Basile, Jean	*Le grand Khūn* (R)34
Basile, Jean	*Les voyages d'Irkoutsk* (R)37
Benoit, Jacques	*Gisèle et le serpent* (R)90
Benoit, Jacques	*Les princes* (R)103
Bersianik, Louky	*Le pique-nique sur l'Acropole* (R)66
Blais, Marie-Claire	*L'ange de la solitude* (R)71
Bonenfant, Réjean	*Un amour de papier* (R)41
Bonenfant, Réjean; Jacob, Louis	*Les trains d'exils* (R)43
Borduas, Paul-Émile	*Refus global et autres écrits* (E)48
Bouchard, Louise	*Les images* (R)36
Boucher, Denise	*Les fées ont soif* (T)38
Boucher, Denise; Gagnon, Madeleine	*Retailles. Essai-fiction* (E)27
Bourassa, André-G.	*Surréalisme et littérature québécoise* (E)8
Brossard, Nicole	*L'amer ou Le chapitre effrité. Théorie-fiction* (E)22
Brossard, Nicole	*Picture Theory. Théorie-fiction* (E)39
Brouillet, Chrystine	*Chère voisine* (R)83
Brunet, Berthelot	*Les hypocrites* (R)33

Brunet, Berthelot   *Le mariage blanc
d'Armandine* (C)44

Bugnet, Georges   *La forêt* (R)87
Chamberland, Paul   *Terre Québec* suivi de
L'afficheur hurle, de
L'inavouable et d'autres
poèmes (P)3

Champlain   *Des Sauvages* (H)73
Choquette, Gilbert   *La mort au verger* (R)21
Collectif   *Montréal des écrivains*
(F)31

Collectif   *La nef des sorcières* (T)67
Collectif   *Nouvelles de Montréal* (F)68
Collectif   *Figures de l'Indien* (H)108
D'Amour, Francine   *Les dimanches sont mor-
tels* (R)89

Des Ruisseaux, Pierre   *Dictionnaire des proverbes
québécois* (E)57

Dubé, Marcel   *Un simple soldat* (T)84
Dumont, Fernand   *Le sort de la culture* (E)102
Durham, John George Lambton   *Le rapport Durham* (H)50
Dussault, Jean-Claude   *Au commencement était la
tristesse* (E)59

Ferron, Jacques   *Théâtre I* (T)47
Ferron, Jacques   *Les confitures de coings*
(R)49

Ferron, Jacques   *Papa Boss* suivi de
La créance (R)52

Ferron, Jacques   *L'amélanchier* (R)72
Ferron, Jacques   *Le Saint-Élias* (R)76
Gagnon, Madeleine; Boucher, Denise   *Retailles. Essai-fiction* (E)27
Garneau, Michel   *La plus belle île* suivi de
Moments (P)24

Gauvin, Lise   *Lettres d'une autre.
Essai-fiction* (E)16

Gélinas, Gratien — *Bousille et les justes* (T)93
Gélinas, Gratien — *Tit-Coq* (T)97
Giguère, Roland — *L'âge de la parole* (P)61
Giguère, Roland — *Forêt vierge folle* (P)29
Giguère, Roland — *La main au feu* (P)12
Godin, Gérald — *Cantouques & Cie* (P)62
Godin, Marcel — *La cruauté des faibles* (N)5
Grandbois, Alain — *Les îles de la nuit* (P)100
Hamelin, Jean — *Les occasions profitables* (R)45

Hamelin, Louis — *Ces spectres agités* (R)86
Hamelin, Louis — *La rage* (R)104
Harvey, Jean-Charles — *Les demi-civilisés* (R)74
Hénault, Gilles — *Signaux pour les voyants* (P)1

Jacob, Louis; Bonenfant, Réjean — *Les trains d'exils* (R)43
Jacob, Suzanne — *Flore Cocon* (R)58
Jasmin, Claude — *Pleure pas, Germaine* (R)6
Laberge, Albert — *La Scouine* (R)81
La France, Micheline — *Le Fils d'Ariane* (N)110
Lamoureux, Henri — *L'affrontement* (R)105
Lapierre, René — *L'imaginaire captif. Hubert Aquin* (E)60

Lapointe, Paul-Marie — *Pour les âmes* (P)77
Lasnier, Rina — *Présence de l'absence* (P)64
Lejeune, Claire — *L'atelier* (E)70
Lévesque, Raymond — *Quand les hommes vivront d'amour* (P)35

Mahoux Forcier, Louise — *Une forêt pour Zoé* (R)109
Mailhot, Laurent; Nepveu, Pierre — *La poésie québécoise. Anthologie* (P)7

Maillet, Andrée — *Les Montréalais* (N)13
Maillet, Andrée — *Le doux mal* (R)63
Major, André — *Le cabochon* (R)30
Marcotte, Gilles — *Le roman à l'imparfait* (E)32

Miron, Gaston   *L'homme rapaillé* (P)75
Mistral, Christian   *Vautour* (R)85
Mistral, Christian   *Vamp* (R)107
Monette, Madeleine   *Petites Violences* (R)94
Nepveu, Pierre; Mailhot, Laurent   *La poésie québécoise.*
                                        Anthologie (P)74

Ouellette, Fernand   *Journal dénoué* (E)17
Ouellette, Fernand   *Les heures* (P)19
Ouellette, Fernand   *Tu regardais intensément*
                                        Geneviève (R)46

Ouellette, Fernand   *La mort vive* (R)69
Ouellette, Fernand   *Le soleil sous la mort* (P)98
Ouellette-Michalska, Madeleine   *Le plat de lentilles* (R)11
Ouellette-Michalska, Madeleine   *La femme de sable* (N)15
Ouellette-Michalska, Madeleine   *L'échappée des discours*
                                        de l'œil (E)42

Perrault, Pierre   *Au cœur de la rose* (T)28
Pilon, Jean-Guy   *Comme eau retenue* (P)4
Renaud, Jacques   *Le cassé* (N)51
Rioux, Marcel   *La question du Québec* (E)9
Robin, Régine   *La Québécoite* (R)88
Roy, André   *L'accélérateur d'intensité*
                                        (P)53

Royer, Jean   *Poèmes d'amour* (P)25
Royer, Jean   *Poètes québécois.*
                                        Entretiens (E)55

Royer, Jean   *Romanciers québécois.*
                                        Entretiens (E)56

Saint-Martin, Fernande   *La littérature et le non-*
                                        verbal (E)95

Soucy, Jean-Yves   *L'étranger au ballon*
                                        rouge (C)54

Théoret, France   *Bloody Mary* (P)65
Thériault, Yves   *Agaguk* (R)79
Thériault, Yves   *La fille laide* (R)91

Thériault, Yves	*Les vendeurs du temple* (R)99
Thériault, Yves	*Aaron* (R)111
Thériault, Yves	*Valère et le grand canot* (Ré)113
Thériault, Yves	*L'herbe de tendresse* (Ré)115
Thériault, Yves	*Le dernier havre* (Ré)116
Thério, Adrien	*Conteurs canadiens-français (1936-1937)* (C)106
Thoreau, Henry David	*La désobéissance civile* (E)96
Trudel, Sylvain	*Le souffle de l'harmattan* (R)80
Vadeboncoeur, Pierre	*Les deux royaumes* (E)78
Vadeboncoeur, Pierre	*Gouverner ou disparaître* E(82)
Vallières, Pierre	*Nègres blancs d'Amérique* (E)92
Viau, Roger	*Au milieu, la montagne* (R)14
Villemaire, Yolande	*La vie en prose* (R)2
Villemaire, Yolande	*Meurtres à blanc* (R)10
Villemaire, Yolande	*La constellation du Cygne* (R)114

(C): contes; (E): essai; (F): fiction; (H): histoire; (N): nouvelles; (P): poésie; (R): roman; (Ré): récits; (T): théâtre

Cet ouvrage composé en Times corps 10
a été achevé d'imprimer
le vingt-quatre octobre mil neuf cent quatre-vingt-seize
sur les presses de l'Imprimerie Gagné
à Louiseville
pour le compte des Éditions Typo.

Imprimé au Québec (Canada)